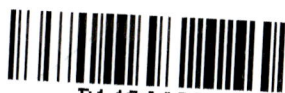

D1496689

Польові

дослідження

з українського

сексу

ОКСАНА ЗАБУЖКО

ПОЛЬОВІ ДОСЛІДЖЕННЯ З УКРАЇНСЬКОГО СЕКСУ

РОМАН

Видання сімнадцяте

Київ 2024

УДК 821.161.2-311

З-12

Перший сучасний роман незалежної України, який здобувся на комерційний успіх і звання національного бестселлера, залишається знаним і популярним уже в другого покоління читачів багатьох країн. Драматична любовна історія двох українських інтелектуалів буремних 1990-х з плином часу не втрачає актуальності, змінюючи свої смислові акценти й відтінки, але незмінно захоплюючи шанувальників психологічною глибиною характерів і новаторством стилю.

ISBN

978-617-7286-49-2

Передмова через чверть століття[1]

2021-го року Україна відзначала 25-ліття «Польових досліджень з українського сексу». Видавець нового, 13-го видання роману оголосив конкурс на найкращий читацький відгук, кінематографісти готувалися знімати фільм (у лютому 2022 р. я отримала на апробацію сценарій — за кілька днів до початку російського вторгнення), критики збирали конференції та розмірковували над тим, як ця книжка змінила інтелектуальний пейзаж країни, а в соцмережах читачі обмінювалися враженнями, сперечалися й навіть сварилися — на диво, не менш гаряче, ніж 25 років тому, тільки трохи відмінною мовою.

Бо ж це було вже друге покоління читачів — підрослі діти тих, кому в кінці 1990-х ця книжка,

1 Написано для другого шведського видання роману: Fältstudier i ukrainskt sex: roman. Översättning: Irina Karlsohn. Diktöversättning: Mikael Nydahl. Översättning av förordet: Stockholm: Norstedts, 2022.

вибухла тоді найгучнішим в історії незалежної України літературним скандалом, замінила одразу кілька проґавлених під радянським правлінням революцій, від феміністичної до видавничої (саме вона вирішила долю нашого книжкового ринку, вернувши українській літературі втраченого за роки СРСР читача), — і над її сторінками ці діти сперечалися про токсичні стосунки, колоніальний аб'юз і міжпоколіннєву травму. 25 років тому українці таких слів не знали. І розгніваного жіночого голосу («відьомського», як писали в 1990-ті деякі особливо обурені словесною аґресивністю моєї героїні критики!) — теж не знали, і публічного обговорення жіночої тілесності, не кажучи вже про таку блюзнірчу, в традиційній системі вартостей, річ, як поєднання цієї самої тілесності з травмами національної історії в одному наративі (це викликало найбільше обурення, особливо в чоловічої частини аудиторії), — багато чого не знали. Значною мірою тому цей роман і став для тодішнього українського суспільства таким шоковим одкровенням (за результатами пізнішого, 2006 р., опитування — «книжкою, що найбільше вплинула на українське суспільство за 15 років незалежності»): один невеличкий томик заступив собою цілу нечитану (а натоді ще й не перекладену навіть!) бібліотеку обов'язкової лектури з ґендерних проблем, за що й був проголошений «Біблією українського фемінізму».

За 25 років, що минули звідтоді, ми багато навчились. Змінились, подорослішали, дізнались про себе і світ чимало такого, що дається тільки досвідом життя у вільній країні (всім, хто ніколи не жив у невільній, це завжди доводиться тлумачити додатково: поліцейська держава жахлива не тим, що не дає вам реалізувати ваші екзистенційні потреби, а тим, що не дає вам розвинутись настільки, щоб їх в собі виробити, силоміць утримує вас у психологічно інфантильному стані). І те, що діти вже вільної України продовжують (як виявилось) читати цю історію про стосунки чоловіка й жінки «на виході з Єгипту» як «свою» і чубитися через неї майже так само запекло, як колись їхні батьки, мене, щиро кажучи, заскочило куди більше, ніж полестило, думка була — та доки ж це триватиме, невже ж ми досі того «Єгипту» не переросли?..

Правда, були ще переклади. Попри те, що «Польові дослідження...» — це найбільш «неперекладний» мій твір, бо тут сама мова героїні стає персонажем, вони ж, парадоксальним чином, стали й найширше перекладеним твором — і моїм, і всієї сучасної української літератури (станом на сьогодні на 17 мов, і ще кілька на підході). І коли в Польщі готувалося чергове, третє, перевидання — на хвилі здійнятих варварським протиаборційним законом жіночих протестів, — я отримала від молодих польок реакцію, що вразила мене в саме серце: це книжка про свободу, казали вони. Про жіночу свободу; про жінку, яка протистоїть насильству. Воює за себе.

Так уперше — на 25-й рік по виході в світ — прозвучало в зв'язку з цим романом слово «війна».

А потім настав ранок 24 лютого 2022 року, коли на українські міста полетіли російські бомби, — і західну пресу заповнила лавина аналітичних статей, у яких експерти стали на різні лади навперебій пояснювати своїй аудиторії те, що чверть віку тому, леді й джентльмени, намагалась пояснити на американському кампусі моя героїня (ґвалтована, правда, не озброєним російським солдатом, як жінки Бучі й Ірпеня, а привезеним з дому коханим мужчиною, але ґвалтовані окупаційною армією про свої відчуття зазвичай не розводяться, залишається ті відчуття уявляти, масштабуючи за куди скромнішими випадками: споживаючи жах у малих дозах, і чи не цим і пояснюється увага західних видавців до страждань моєї героїні?..), — пояснювати, що Україна не failed state, і не nonexistent nation, як віками запевняють її ґвалтівники: що вона жива і хоче жити, своєю власною волею, із своїми бажаннями й потребами, екзистенційними в тому числі, а відтак і з своєю історією, мовою й культурою, хай навіть нікому невідомими поза домом...

І от, в одній із таких статей — Пітера Померанцева в The Economist — я несподівано наткнулась на порівняння «Польових досліджень з українського сексу» з результатами авторових спостережень за ціннісними пріоритетами українців: виявилось, що, як і моя героїня з початку 1990-х, опитані Померанцевим українці початку 2020-х понад усе прагли бути почутими, визнаними світом. Раніше, пише Померанцев, я думав, тут ідеться про ідентичність, і щойно після 24 лютого зрозумів, що — про безпеку: тих, кого знають, складніше вбити.

Саме так, леді й джентльмени. Саме так. З однією поправкою: це стосується не тільки українців, а всіх, абсолютно всіх і всього живого на цій планеті: ми всі летимо в одному літаку.

Тож, як казала на прощання моя героїня — приємного польоту.

19 травня 2022 р.

ДОСЛ

з укра

Польові

[д]ження

[сіль]ського

сексу

Ще не сьогодні, каже вона собі. Ні, ще не сьогодні. В кухні — крихітній eat-in kitchen² (холодильник, електроплитка, шафки з абияк учепленими дверцятами, що наврипились, іно відвернешся, безсило відхилятися, як щелепа на вже-несамовладному обличчі, і все це відгороджено невисоким дощаним стояком, щось ніби шинквасом, — на нього можна просто з тої вузесенької обори подавати до кімнати — аякже, чому ні! — ну хоч би вранішню каву, або на обід — підсмажене курча, таке, як ото в телерекламах: золотаво зашкрумiле, мерехке од спілих соків, із грайливо підібганими ніжками вмощене на лапатих листках салати, засмажене курча завжди виглядає щасливішим од живого, просто промениться чудесним, смаглим рум'янцем з утіхи, що зараз його з'їдять, — можна

---

2   Вбудована кухня (тут і далі пер. з англ. — *Прим. ред*).

також подавати який-небудь джус, чи джин з тоніком у високих товстобоких шклянках, можна з льодом, кубики, коли набирати, смішно поторохкують, можна й без льоду, взагалі, можливостей безліч, треба тільки одного — щоб хтось сидів по той бік їхньої довбаної загороди, в якій, здається, завелася мурашка, бо по стільниці раз у раз повзе щось, що в гігієнічному американському домі не повинно би повзати, та і в неамериканському теж, — хтось, кому ти це все добро мала б, сяючи журнальною усмішкою, з кухні подавати, позаяк же там ніхто не сидить і сидіти не збирається, то ти наповажилась була воздвигнути на стоякові імпровізований зимовий сад із двох безневинних вазонів — три тижні тому, коли ти сюди вселилася, то були: пишна темно-зелена кучма в жовтогарячих квітах — раз, і рясне намисто лискучих, схожих на пластикові, червоних бубок на високих стеблах з елегантно завуженим листям — два; зараз обидва вазони мають такий вигляд, ніби ці три тижні їх день у день поливалося сірчаною кислотою, — на місці буйної кучми клаповухо звисають кілька пожовклих листочків з нерівно обгорілими краями, а колишні тугі червоні намистини що далі, то більше нагадують сушену шипшину, навіщось поначіплювану на руді цурупалки, — найсмішніше, що ти якраз не забувала, поливала свій «зимовий сад», ти плекала його, як учив Вольтер, еге ж, ти хотіла чогось живого в цій черговій, казна-якій з ряду-йому-же-несть-кінця, тимчасовій хаті, де бруди всіх попередніх винаймачів невідмивно повсякали в кожну шпарину, так що ти й не бралася їх відмивати, — але подлі америкaнські бур'яни виявилися занiжні на твою депресію, що незбовтана гусне в цих чотирьох стінах, взяли й здохли, поливай не поливай, — а ти ще хочеш, щоб тебе держалися люди!), — так ось, у кухні з глумливо глупим булькання скапує вода в раковину, і нічим перекрити цей звук — навіть касети не поставиш, бо портативний магнітофончик також чомусь вийшов з ладу. Правда, ще за вікном, вузьким, як відчинені дверцята шафи, темним о цій порі («блайндерсів» ти не опускаєш, бо навпроти все'дно глуха стіна), за протимоскітною сіткою, либонь, застрягнувши в ній, настирливо сюрчить, як далекий телефонний дзвінок, невидимий коник, — от так само настирливо сюрчить і та думка, може, то взагалі вона й сюрчить, — а чому б не тепер?.. Не вже?.. *Чого* чекати?..

Логічно зваживши — нічого. Геть-таки зовсім.

Півупаковки транквілізаторів плюс бритва, — і вибачте за невдалий дебют. Старалася щиро, на совість, а що ні фіґа не вийшло, то чесніше одразу здати карти — не гравець із мене й зараз, далі буде ще хрєновіше: просвітку не видно, а сили вже не ті: не дєвочка.

І все-таки — ні, не сьогодні.

Ще почекати. Додивитись цей фільм до кінця. На відміну від тих, котрі транслюються по тутешніх «паблік ченнелз», — коли в найнапруженіші

хвилини, з холодком мимовільного остраху стежа-
чи, як герой мчить порожнім тунелем, де з-за рогу
на нього от-от вихопиться престрашенне чудовись-
ко, спохоплюєшся — а хай йому грець! — що все ж
повинно скінчитися гаразд — ще дві-три хвилини,
сутичка, купа-мала, качання по підлозі, і чудовись-
ко, несвітськи ревнувши, якимось дивом розточить-
ся в прах, а мужній, тільки трохи поскубаний герой,
повитий димами пожариська, переводячи дух, при-
горне до себе врятовану Шерон Стоун, чи ту другу
кралю, чорнявеньку, як-її-там, — і наринула, було,
тривога вмент являє всю свою сміховинність: знов
цим голлівудівським ґаям вдалося, бодай на мить,
тебе ошукати! — на відміну від цих, фільм, котрий ти
все-таки не важишся вимкнути, не конче має скін-
читися щасливо. А однаково, вимикати — непрос-
тиме свинство. І глупство. І — дітвацтво: не вивчив
урока, не піду до школи. Ні, золотко («золотце»,
іронічно поправляє вона себе: так звертався до неї
той чоловік, якому зараз, либонь, ще паскудніше,
ніж їй, але то вже не має жодного значення), — ні,
сачконути не вийде: ти-но одбудь усе по порядку,
а тоді й знати буде, чого ти справді варта. *Понятно?*

Спиши слова, татуїровку зроблю, грубо й розв'яз-
но підхоплює з неї зовсім інша жінка, цинічка
з явно приблатньонними, ніби з «зони» вивезеними

манерами, зугарна, в разі коли що, й матом засандалити: якщо людина в цілому (кожна!) — одна велика в'язниця, то звичайно раніше та лотра мешкала в ній десь у найдальшій камері, виходячи назовні рідко, тільки коли доводилося направду круто й солоно, та й то ніби напоказ: *З-замахали*, — говорила крізь зуби в хвилини роздратування, трусячи головою й сама себе гамуючи їдкою посмішкою, або ж, травлячи післясмак чергової обиди (обид останнім часом випадало предостатньо!), з гнівно виряченими очима переповідала друзям: *Дєвочку на побігеньках із мене зробити хочуть — а во!* — била себе ребром долоні по згину стиснутої в кулак лівиці, — в Америці блатне бабисько навчилося лаятись по-англійському, особливо гарно вдавалося йому «*Шшіт!*» — котяче шипіння з дугасто вигнутою спиною, а також презирливе «*О, кам он — гів мі е брейк!*»[3], яким колись раз уперезала була того чоловіка, — взагалі, з тим чоловіком саме ця, відьомськи розчіхрана, з нездорово блискучими очима й зубами і якимось невидним, але вгадним таборовим минулим, раз у раз вихоплювалася на передній план, замашисто трощачи крихкий посуд незаповнених сподіванок, той чоловік визволяв, викликав її на себе з найдальшої камери — щойно зачувши, в першій же сутичці, оту його брутальну, мордобійну інтонацію: «*Ти мені скажи — на хера я сюди їхав,*

3   Облиш, дай мені спокій.

я вдома таких самих прибамбасів мав — отак-о!» — лотра радісно ринулась йому навперейми, впізнавши партнера, тільки в цьому вони й були партнерами, — і вже невгавала, розпанашившись в умовах ніколи раніше не звіданої свободи: *«Я вчора голову почав ліпити»*, — брався він розповідати в її присутності колезі-скульптору, і лотра рвалася наперед, гублячи шпильки й ґудзики в нестримному захваті словесного виверження: *«Авжеж, зліпи собі, серце, голову, зліпи — не завадить!»* — він темнів на виду так, ніби замість крови в лиця вдаряло чорнило, нахилявся їй до вуха: *«Перестань мене підйобувати!»* — відьма, пускаючи дим, реготалася зсередини неї, вперше за довший час хоч чимось задоволеної: *«Гой-го, серце, — де твоє почуття гумору?»* — *«Я його на тій квартирі залишив»*, — бовкав він: з тої квартири вони, Богу дякувать, виїхали, і найліпше було б її по них запечатати бодай на півроку, заки звітриться чумний дух, — *«Ну збігай, принеси, — шкірилася відьма, — я тут зачекаю»*, — *«Ключа здав»*, — бовкав він, ставлячи, як гадав, крапку, але помилявся: *«Ключа здавала — я, а в тебе був дублікат»*, — відбивала вона: швидке, навальне фехтування кілками, за яким сторонньому просто не встежити, ні, що не кажіть, а з них таки була пара, нема що! А тепер — тепер, коли тій, клятій і м'ятій, просмаленій бідами до щирця, з перегорілим на ацетонний, та все ж непозбутнім духом виживання (*звідки це в тобі, на ласку Божу?*), якраз би й загетьманувати над цілою в'язницею, взявши відповідальність за дальший перебіг у ній сякого-не-якого життя, роздаючи навсібіч накази: туди, в оті двері — зась, а оце сміття — зараз же на фіґ повиносити, а ген той відсік там-он-о — провітрити, в ньому віднині музей буде, а це ще що за нічвида тут вештається й слинить — ану пшлавон (*зліпи собі, серце, голову, зліпи!*), — лотра (таки ж лотра!) натомість відступилася, розмазалася по якійсь найдальшій стіночці, не видко — не чутно, і по всіх спустілих приміщеннях сталої отвором в'язниці розлягається зовсім інший, квильний і безпорадний, потерчачий якийсь, голос: смикається туди-сюди нерівними крочками, туп-туп-туп — і стало, — і б'ється об мури, водно в тім самім місці, з кожним разом спадаючи на силі, — і скоголить, скоголить, скоголить бідна, нелюблена, покинута на вокзалі дівчинка, ладна йти на руці до кожного, хто скаже: «Я твій тато», та тільки хто ж таке скаже тридцятичотирилітній бабі, — от ту дівчинку й ти сама в собі не любиш, ти від підлітка намагалася тримати її в найглухішому підвальному закапелку, без хліба й води, і щоб не поворухнулася, — а вона однак якось примудрялася заціліти, і як її тепер втишиш — тепер, коли здається, що, крім неї, іншої тебе — нема, не лишилося?..

Замахалась ти, «золотце». Ох, замахалась. Зовсім до ручки дійшла — третій місяць у м'язах трем не вщухає, вранці, прокидаючись (а надто тепер, коли прокидаєшся — сама), перше, що відчуваєш, — своє прискорене серцебиття, якого нічим не заспати, — гаразд, хоч спиш уже без транквілізаторів, і оті страшні приступи сухої блювоти, які змагали були ночами, нагадують про себе хіба як, чистячи зуби, заглибоко засовуєш щітку — коротким нудотним вивертом, несвідомою клітинною пам'яттю про власне тупе уляГання негайним, від першої хвилини, — попервах іще хоч збудно-пристрасно вишептаним, а по кількох тижнях уже просто сухим, розпорядчим звертанням: *«Візьми в ротика... Глибше візьми... Глибше, ну!»* — суха ложка рот дере — еге ж, оце воно, — попервах і вона ще пробувала якось порозумітися, розтлумачити, що їй теж би, своєю чергою, спершу дечого хотілося, і не тільки «там»: крім статевих органів, тебе в мені більше нічого не цікавить? І: якщо в тебе були якісь плани на сьогоднішній вечір, то не вадило б дати мені про це знати до того, як я пішла спати, — замість сидіти шкробати свою графіку, і взагалі, я, знаєш, не люблю роздягатися сама... Добре, — весело обіцяв він, — ми тобі завтра таку увертюру закатаєм! — завтра, одначе, так ніколи й не настало. Іди сюди — але я взяла снодійне — ну значить, на «ньому» й заснеш. Господи, який це був жах. Чи можна взагалі зрозуміти світ людей, що мислять про власний статевий орган у третій особі? Коли тобі кажуть, а той чоловік лиш так і казав, — «Розкрий „її"», ти одразу переносишся всіма змислами в гінекологічне крісло, — бо це не «вона», це *ти* розкриваєшся — або закриваєшся: як у цьому випадку — намертво. *Та ти знаєш, скільки в мене жінок було! — і жодного разу не було такого, щоб — погано, просто погано!* Авжеж, тобі не було, а — їм, чи ти коли питався? Я також не уявляла, що таке буває, — тільки ж *як* погано, аби ти, голубе, знав! *Чому це ти кусаєшся*, з дивним, шкlisto зупиненим поглядом спитав він, після кохання, в одну з перших ваших ночей, сидячи й курячи в тебе в ногах, *що це за діла*, — тимчасом ти, розкинувшись на подушці, безпечно похихикуючи, гладила його по голові витягнутою ступнею, в тебе були чудесні ноги, всі діорівські-сен-лоранівські модельки на своїх жердинах мали б на вид таких ніг негайно піти й утопитися, це зараз ти вже другий місяць не вилазиш із штанів, бо литки розцяцьковано, як мапу, архіпелагом різнотонних, червонястих і брунатних, лускатих і злущених плям — шрами, порізи, опіки, навіч представлена історія дев'ятимісячної (атож, дев'ятимісячної!!!) mad love⁴, із якої вийшла — правдива madness⁵, а тоді ти просто гладила його ногою по голові, переповнена ніжністю, ідіотка слинява, жорсткий мужський «йоржик» приємно поколював

4   Божевільної любови.

5   Божевілля.

тебе в ступню, — і зненацька він, спритно вивернувшись, притис твою ногу до постелі: *так так? тобі, значить, подобається кусатися? А якщо мені зараз сподобається тебе підпалити, що тоді?* — і ти вгледіла приставлену до свого підкоління запальничку, і, замість похолонути під прицілом вперше тоді перехопленого, незмигного й не по-чоловічому — *якось інакше*, зло й безумно, на межі вищиреного осміху з нагло випертими з-під горішньої губи іклами, спитуючого погляду, од якого звідтоді завше боронилася — сміхом, тільки трохи здивувалася, не так щоб зовсім притомно — дивно, до якої міри його присутність, як динамітом, глушила в тобі всі, доти таки незлецьки розвинені, захисні інстинкти, що спливали, як риба горічерева, поки ріку й далі стрясало — вибух за вибухом.

Ні, передчуття — були: передчуття ніколи не заводять, то тільки цілеспрямована сила нашого «хочу!» перебиває їхній голос, заважає дослухатися. Першого ж вечора, на тому мистецькому фестивалі, де все й почалося, — а він тоді з місця розігнався до тебе, мов іно на тебе й чекав: «Пані Оксано, я — Микола К., може, вам показати місто, може, звозити на за́мок, у мене машина», — до славного замку було хвилин десять пішої прогульки по тихих, обсаджених здобними бароковими церковцями брукованих вуличках, піжон дешевий, подумала ти, прикусивши посмішку, провінційний фраєр, ич як нарцисично задбаний — біленький комірчик з-під светра, доглянуті нігті (це в художника!), неміцний, якраз у міру, запах дезику — котяра з сивим «йоржиком» і шельмівським зеленооким прижмуром, трохи приношений, розволочений артистичний шарм, сухі зморшки усміху, побрижені мішки під очима, — «*а ти сказала*, — згадував він опісля, коли в них пішов був процес витворення тої спільної міфології, без якої жодній парі не остоятися, — з легендою про Золотий Вік фази закоханости, з власними дрібними обрядами й ритуалами, — пішов, та зразу ж і урвався, — *ти сказала — валі с пляжа, дядя*», — ну, положим, не так, точніше, не зовсім так, але інтересу не виявила, що правда, то правда, — тож тим дивніший був, увечері того-таки дня, несподіваний промельк ясного, пронизливого наскрізного бачення, котре, гріх нарікати, ніколи ж тебе на крутих поворотах не полишало, от ти його — тлумила-таки, і не раз, та ще й як! — увечері, в самому розповні фестивальної програми, в густих випарах поту й алкоголю, куди ти зійшла з естради, відчитавши своє — два вірші, два холєрно добрі вірші просто в нетверезий гул злитих в одне довкружне блимання жовтоплямних фізій, точніше, поверх нього — тримаючись за звук власного, ні на що не вважаючого, тільки словам підвладного голосу, прилюдний оргазм, от як це називається, але вставляє публіку — завжди і всюди, навіть коли слів ніхто ні фіга не тямить, навіть у чужомовному оточенні, вперше ти це звідала колись на писательському збіговиську в одній азіятській країні, де тебе з чемности прошено почитати рідною мовою — you mean, it is not Russian?[6] — і ти стала читати, з обиди й розпуки (остопранцювáтіли зі своїм Russian'ом ще тоді!) слухаючи тільки власний текст, ховаючись у нього, як в освітлений дім уночі заходячи й замикаючи за собою двері, й на півдорозі зненацька здала собі справу, що звучиш у дзвінкій, приголомшеній тиші: мова, дарма що незрозуміла, на очах у публіки стяглася довкола тебе в прозору, мінливо-ряхтючу, немов із рідкого шкла виплавлювану, кулю, всередині якої, це вони бачили, чинилась якась ворожба: щось жило, пульсувало, випростувалось, розверзалось провалами, набігало вогнями — і знов затуманювалось, як і належить шклу од заблизького дихання, ти відчитала — оповита, просвітліла й захищена, оттоді-то було й втямити, що дім твій — мова, яку до пуття хіба ще скількасот душ на цілім світі й знає, — завжди при тобі, як у равлика, й іншого, непересувного дому не судилось тобі, кобіто, хоч як не тріпайся, — потім усі ті пикатенькі, лисі, чорні-кучеряві, в тюрбанах і без, довго й схвильовано трясли тобі руки, не даючи, між іншим, пройти до туалету (від їхньої

<hr />

6   Ви хочете сказати, це не російська?

млосно-пряної кухні твій шлунок рішуче відмовлявся і суремив, стерво, басом якраз у ті хвилини, коли годилося ґречно дякувати), — звідтоді жодна зала тебе б не збила — а хоч перед кримінальними злочинцями! — екзгибіціонізм там уже чи ні, власний текст боронив тебе од наруги й пониження, ти читала, як писала — на голос, ведена саморухливою музикою вірша, до такого процесу свідків звичайно не допускається, окрім як на театрі, тим-то, либонь, і проймає, і те фестивальне тирло також прищухло десь насередині твого виступу — облягло шкляну кулю й згідно задихало в унісон, і от коли ти, вистигаючи від оплесків, уже не на естраді, а внизу, в напівтьмі, в якомусь чіпкому дружньому кільці: парко, димно, хтось наливав, хтось сміявся, лиця мелькали розрізненими кадрами, — простягала руку чи то по відпружну цигарку, чи по келиха, той чоловік на мить опинився поруч, мов зашпортнувся об тебе мимохідь, — з котячо засвіченими в притемку очима захоплено дихнув горілчаним духом: «Ну, ти й даєш!» — і так само мимохідь, не зупиняючись, спробував стиснути тобі руку, перехопити її, сягаючу по цигарку (чи келиха), — ти запам'ятала це тому (бо ж хто тільки не тис тобі руку в тому стовповиську!), що отим незручним рухом, якось навсторч врубаним у напрямок твого власного, наче в'їздом з розгону під «цеглину» й міліцейський сюрчок, він потрапив боляче підломити тобі великого пальця, — і сюрчок розітнувся тут-таки — поштовхом, блискавичним промельком крізь тяму — дивно, як на ту сум'ятну мить, чіткого й тверезого наскрізного зняття: ніби хтось сторонній спокійно, значущо, повним реченням проказав у голові: «Цей чоловік зробить тобі боляче».

Саме так, дослівно, тобто малося на увазі аж ніяк не підламаний палець, і ти пречудово це зрозуміла. От у цьому вся штука, дорогенька, — що все ти, від самого початку, знала, та ні, знала ще й до початку: десь за тиждень перед тою поїздкою на фестиваль одного вечора оголені нерви, болісно-жаждиво, як буває тільки восени, відтулені в світ — назустріч його вигасаючим барвам і таємничим шерехам в засинаючому листі, — запеленгували були уривок, якого ти тоді не збагнула й тому не дописала: «*Щось зрушилося в світі: хтось кричав / Крізь ніч моє ім'я, неначе на тортурах, / І хтось на ґанку листям шарудів, / Перевертався і не міг заснути. / Я вчилася науки розставань: / Науки розрізняти біль недужий / І біль животворящий (хтось писав / Листи до мене й кидав їх у грубку, / Рядка недописавши). Хтось чекав / Чогось від мене, але я мовчала: / Я вчилася науки розставань*», — от і збулося все до словечка: вчися, вчися тепер «науки розставань» — із життям, із собою, з даром своїм нещасливим, що його тепер уже навряд чи подужаєш підняти — якщо досі, вважай, ні разу не витиснула цю штангу на висоту повного ривка.

Ай, мать його за лапу...

Ні, хай би хто-небудь усе ж пояснив: якого чорта було родитися на світ жінкою (та ще й в Україні!) — із цією блядською *залежністю*, закладеною в тіло, як бомба сповільненої дії, з несамостійністю цією, з потребою перетоплюватись на вогку, хляпаву глину, втовчену в поверхню землі (знизу, завжди любила — знизу, розпластаною на спині: тільки так і позбувалась себе остаточно, зливаючись ритмом власних клітин з промінною пульсацією світових просторів, — з тим чоловіком ні разу нічого подібного не було, в мить, коли вона, здавалось, от-от починала в'їжджати, він, не зупиняючись, прокидав її згори різко видихнутим: *«Мда, тут треба роту солдат!»* — це смішило, але не більше: *«Що це за заявки?»* — ображалася вона: не на слова, на відстороненість тону, — *«Глупа ти, це ж комплімент! — тобі взагалі треба б з двома мужиками спробувати, знаєш, як би це тебе вставило!»* — цілком можливо, що й вставило б, недарма ж я любила під час кохання кусатися, впиватись вустами в палець або плече, затягуватись до запаморочення доглибним цілунком, храмовою проституткою — от ким я мусила бути в попередньому житті, але в цьому — в цьому, серце, мені ох як не все одно, з ким я: пригадую, колись раз у нью-йоркському метро, де я сиділа, з головою поринувши в останній роман Тоні Моррісон, хтось ляпнувся поруч мене на сидіння, всім тілом притискаючи до металевого бар'єрчика, — і мене вмить пропекло чистим, як високий музичний тон, зарядом такого потужного еротичного заклику, що плоть тут-таки відізвалася збудженим набряканням, розбруньковуючись усередині, як весняне дерево; одночасно я втямила, що цей мужчина — хто він там не є — вже скільки зупинок нависав був наді мною, і якби ми не були людьми, то мали б уже зараз кохатися просто на цій запльованій підлозі, бо ж, кохаючись по-справжньому, зливаєшся не з партнером, ні, — з розбуялою анонімною силою, що протинає своїми струмами все живе, підключаєшся до неї з тим, аби на кілька секунд — а-ах! — катапультуватися в вібруючу вогнистими контурами чорноту, якій нема ні йменя, ні міри, на цьому стоять усі поганські культи, то тільки християнство списало це злиття за відомством Чорнобога, замурувавши людині всі виходи з себе, окрім єдиного — через верх, але для нашої доби, хоч по суті й постхристиянської, уже відрізано шлях до повороту назад, в оргіастичне свято вселенської єдности: ми, кожен зосібна, безнадійно заражені проклятою свідомістю ваготи й ущільнености власного «я», і тому переможно чистий, голосний і високий музичний тон вимкнувся й згас у моєму тілі одразу ж, як тільки той, справа, — *заговорив*: десь через зупинку обізвався, з диким акцентом, спитав, що я читаю: вчуся, чи як? студентка? — отут я вперше *глянула* на нього — то був молодий, десь під тридцятку, невисокий, але купно збитий, як із цільного куска виллятий «шпік»[7], його прегарні, мов сливи, очиська заволікло хтивим сизуватим туманцем, так дивилися на мене, кожен із-за ґрат свого життя, сотні чоловіків різних націй і кольорів шкіри, виткнутись на хвильку — можна, от чого не можна — це вийти назовсім; «Pardon me?»[8]— перепитала я тим зумисним гострим голосом, яким відшивається нахаб, і той Хуан, чи Пабло, чи Педро, зразу втямив, що — все, кінець, викручено контакти, — «ні, нічого», пробелькотів і ще щось далі мимрив собі під носа, вже по-своєму, — могутній тваринний заклик його тіла зів'яв, скрутився, став швидко-швидко вичахати, поруч мене сидів звичайний собі причепа-еміґрантисько — втім, небавом і встав, і попрямував — чи до виходу, чи десь інде, я вже не дивилася, повернувшись до книжки: *особа, іно вигулькнувши, розчаклувала* стать. Може, справді єдиний вихід із цієї в'язниці — виходити вечорами, низько ослонивши лице каптуром плаща, сідати в проїжджі авта, не називаючи імені, рука водія на коліні, низький, захриплий смішок, гарячковий шурхіт зайвої одежі, не треба вмикати світла, не треба розплющувати очей, слухати лиш клекіт крови, чоловічу партію ударних і своє, чи вже-не-своє, розчинення-розступання, *ох, як ти класно розкрилася*, ну! ну! ще! ще! — та тільки ж вони всі хочуть *говорити*, хочуть відсьорбнути, розвезькуючи слиною й спермою,

---

7   Зневажлива кличка імміґрантів-пуерторіканців.

8   Прошу?

ковточок *тебе*: а що ти читаєш, а куди їдеш, а чи маєш мужа, треба вимишляти легенду, «Как вас зовут?» — «Ирина», — було, було раз і таке, окошилось міцним, до залізного посмаку, поцілунком у під'їзді, вивинулася — втекла, посміюючись до себе, їм усім треба *перемагати*, от у чім справа, щиро, нелукаво брати й давати, як вуглекислота-хлорофіл-кисень, вони не вміють, і той чоловік, який зараз доходить десь у пенсільванській пущі на єдинокровній ласці братів-діаспорників, без цента за душею й без слова англійської [а мав же час підучитися, прид-дурок!], — ех як же скинувся, як по-кінському тоді шарпнув був лице вгору, мов батогом уперіщений, коли ти, всадивши його за столика в кав'ярні, спробувала, всю свою витривалість на поміч прикликавши, внести хоч якусь терапевтичну ясність в цю обопільну душевну й тілесну недугу, — все правда, серце, і що я тебе вже не люблю — теж правда: *«То ти себе що, —* склацнувся лезом нагору, як бганий ножик, — *„побєдітельніцей" почуваєш?»* — здається, так і лишилася сидіти з роззявленим ротом: Миколо, та чи ж ми з тобою в перетягування каната забавлялися?.. *«Знаєш, —* і знову був той лиховісний незмигний погляд, немов *щось інше* дивилося крізь його різко обведені запаленими повіками очі, як крізь прорізи маски, — *якби ти була мужиком, я б тобі зараз ввалив!»* Дуже мило з твого боку, коханий, — мені й самій часом ох як шкода, що я — не мужик).*«Ти жінка. В цім твоя межа. / Твій місяць спить, як срібна*

блешня. / Як прянощ з кінчика ножа, / У кров утру-
шено залежність», — бурмотіла до себе в ті страшні
зимові місяці, по-іншому страшні, ніж оці, осінні:
половина січня, лютий, березень — жодної звістки,
і жодної змоги будь-що дізнатися — через Атланти-
ку, з Кембриджа — в українське провінційне містеч-
ко, в опалювану дровами майстерню на горищі по-
кинутого дому без адреси й телефону, без клозету
й гарячої води, іно з голою лампочкою на скруче-
ному шнурку під стелею, з палкою ковбаси й бан-
кою розчинної кави на вимащеному фарбами ни-
зенькому столику, *хоч' канапку? о, ще помідорку*
маю, хоч'? Господи, живе ж хлоп — як пес приблуд-
ний, до шостої ранку не кладеться спати, з-за моль-
берта автомобіль отой свій відзіґорний — безґараж-
ний! — через вікно пантруючи, в двадцять п'ять,
навіть у тридцять таке ще дається знести: звірина
енергія вивозить, — але в сорок! Тимчасом у її кем-
бриджській хаті, знай перемірюваній безтямною
ступою з кутка в куток — від вхідних дверей через
кімнату до кухні й назад (робота, задля якої буцімто
й приїхалося до Штатів, розсипалася, мов нездарно
примоцьований картковий будиночок), — щось
незбагненне коїлося з телефоном: раз у раз її колош-
кали вдосвіта зі сну химерні дзвінки, зривалася, ха-
пала слухавку: «Хелло!» — десь далеко на безмовній
лінії свистав шугастий вітер і глухо рокотав океан,
кілька секунд необжитий, незалюднений простір
над північною півкулею давав їй знати про себе,

ніби справді в ньому «хтось кричав крізь ніч її ім'я, неначе на тортурах», — і не міг докричатися, по чім німий сигнал уривався: підводно-зеленавим ряхтінням засвічувались баньки кнопок на слухавці, і вибулькував з розтруба бездушний зуммер, — о, в вас обох стало б моці повиводити з ладу всі телефонні лінії над Атлантикою, ця скажена, жадна до життя міць фугасила з його картин і твоїх віршів, ти впізнала її відразу, тільки-но, опинившись у нього в майстерні й начепивши окуляри з товстими скельцями, станула перед полотнами, і так само він мусив упізнати твою, — твою, котра в ті зимові місяці, так нежданно й наповал збита з своєї, щойно віднайденої осі (бо ти була — жінка, жінка, хай йому стонадцять чортів: витка рослина, котра без прямостійної підпори, хай би навіть і намисленої, — без конкретного обличчя живої любови — опадала долі й зачахала, тратячи всяку снагу до горобіжного розгону: кожен вірш був прекрасним байстрям од якого-небудь князенка з зорею в лобі, зоря звичайно потім погасала, вірш — лишався), — кинута напризволяще, та сила розривала тебе зсередини, люто дряпалася в стінках твого єства і спорскувала в розпачливій непритокманості, — *«І раптом знов схотілося — кричати, / На лампу вити, пазурями драти / Шпалери на стіні — од явности утрати, / Од того, що тебе уже даремно ждати»*, — аж доки, одного березневого дня, не обпалила все нутро моторошна думка, що він — помер, от просто взяв і помер, «вляпався в крапочку», як і хотів (зізнався їй у цьому ледь не напочатку — з кривим посміхом розганяючи авто, як літака на злітній смузі, серед ночі на заміській дорозі, і мокрі ліхтарі в дрібноголчастій сріберній облямівці, й чорний маслянистий блиск зустрічних калюж, — все злилося, навально помчало наперейми, забиваючи дух, сто, сто двадцять, сто сорок, сто... сто шістдесят? — *не боїшся? не виникає бажання — вляпатися в крапочку?* — ні, не боюся, не було в мені справжнього страху, та, по правді, й тепер нема — дивно, ба й незбагненно, надто взявши під увагу ціле моє, ах розтуди ж його, каторжанське життя, що недурно розпочалося, при народженні — клінічною смертю, мама пригадувала, що геть і цівка калу звисала з задочка, і тільце вже посиніло: виткнула душенька носа на світ і звомпила — е, ні, пустіть назад! — а її, спасибі, відволодали, а скоро так, то нічого блягузкати, є речі, страшніші за смерть, і я їх знаю, тільки от *того* страху — манливого й темного, заворожливо-притягального захвату *згуби*, який є в ньому, і в інших я часами його розрізняла, — нема в мені, і квит, тим-то він і дивився на мене з іскрами неприхованого захвату в зорі, навіть коли вже було по всьому: *«А ти відважна жінка!»* — і «крапочка» та проскочила тоді повз мене, не сполохавши), — але ця думка — що він помер, що ті загадкові телефонні дзвінки справді-таки від нього: з «тамтого боку», а значить, що її любов не ощадила його, що вона сама, сама, нарцисична еґоїстка, гординею своєю дурною, пихою дешевою, бришканням пустопорожнім підопхнула його до «крапочки», де ж пак, принцеса знайшлася: ах так? ну що ж, тоді я поїхала, — звісно ж, Америка — the land of opportunities[9], пів-Європи, не нашої довбаної, а щонайщирішої, від Британії до Італії, сюди рветься, гроші, кар'єра («Музика, жінки, шампанське...» — відгукувався він іронічною луною), а в Україні що, Україна — Хронос, який хрумає своїх діток з ручками й ніжками, що ж, так і сидіти, аж жаба цицьки дасть, чи то пак діаспорні дідусі, коли клімакс стукне, — премію Антоновичів? — ай Бож-же ж мій, та чого воно все на фіґ варте, якщо він помер, що, що, що з ним трапилося?! — ця думка була така нестерпна, що, вискочивши на ґанок заднього двору, звівши лице до мінливого, стрімко сутеніючого кембриджського неба в напливах хмарної гуаші, вхлипуючи зліплими од сидячки й курива легенями ледвевловний подув океану, вона стала молитися — так, як перед тим молилася лише двічі, раз за батька, як долежував у лікарні по вже безпотрібній операції, годинами корчачись од стріляючого метастазами болю (а до наркотиків ще не дійшло), — аби Бог післав йому швидкий кінець, і вдруге, стид згадати, — за незалежність, тоді, 24-го серпня дев'яносто першого року, коли все вирішували години, як воно зазвичай і водиться в житті людей і народів:

9 «Край необмежених можливостей» — стандартне пропаґандистське кліше.

Господи, просила трусячись, поможи — не задля нас, бо негідні єсьмо, а задля всіх полеглих наших, що несть їм числа, — і обидві молитви були почуті, *такі* молитви до адресата завше доходять, а тут вона благала: Господи, зроби так, щоб він був живий! — хай би забув мене, хай би вернувся до жінки, хай би зраджував з ким не прийдеться, — не треба мені його за чоловіка, і нічого від нього не треба, якщо на те воля твоя, Господи, я кохатиму іншого, з іншим родитиму дітей, тільки — о Господи, хай він буде живий. І здоровий. І щасливий. Тільки це, Господи. Тільки це.

Ну, «здоровий і щасливий» — це ти, золотце, конєшно, загнула через верх, бо силоміць нікого щасливим учинити й Бог не потрапить, так що в остаточній редакції твою одчайдушну телеграму мусили були прийняти без цих двох слів, — якби Бог слухав дурного погонича... (А цікаво, як воно все там у них відбувається — чи якийсь янгол-секретар одбирає земні послання при апараті, виймаючи з потоку *щирі*, тяжкі й гарячі, й незворушно спускаючи в чорну діру невагомі маси *пустих* слів? — так і з віршами буває: одразу збриджується, щойно починає валити пуста порода, — і кидаєш, недописавши.) І ще в одному моменті ти тоді злукавила — в «хай би забув мене»: лепетнула в напівнестямі, направді твердо знаючи, що ніколи він тебе не забуде, — о, тепер уже ніколи, скільки житиме: згнітивши недокурка двома пальцями, джиґонувши ним навідлі, аж дугою в повітрі шварнуло: *«А ти подумала, скільки мені від тебе відходити? Га?»* — мов через силу стримуючись, аби не загилити й нею, вслід за недокурком (*«Ти ж уважай, я чоловік слабкий, я й зарубать можу»*, — признався був раз, і тобі зараз же свінуло: оце, оце воно! не бреше, правду каже! — і, з умент ввімкненим *безособовим* захланним інтересом, — загули, застугоніли незримі дроти, шпарко переганяючи інформацію, — вичавила-таки тоді з нього, хоч якого задубіло-відпорного на всякі розпити-лащіння-сюсю-пусю-ну-скажи-мені-жебоніння, — скупу, пунктиром історію про те, як колись давно, розписуючи сільську церкву на пару *«з одним мудаком, який мене діставав»*, дійшов до стану, коли ганявся за тамтим із сокирою в руках, — невже круг церкви, подумала ти, чомусь уявивши, що це мало статися вночі, бо нема нічого жаскішого за нічну церкву з відбитою в темних шибках угорі повнею, — от звідтоді й зривається на втечу щоразу, іно зачувши наближення *того* духа, — *понятно*, гмукнула ти, *цікаво*, хоч по-справжньому цікавою була тут, і далі, повна відсутність у тобі страху, от відлуп — і вже, ніби все те оповідалося через бар'єрчик у кімнаті побачень у в'язниці чи божевільні: дослухаєш — і підеш, і за тобою, грімко скрегочучи, засунуться обковані циною двері, й поросне навздогін, приском попід шкіру, сухе клацання оберненого в замку ключа). Скільки мені відходити від тебе, скільки тобі — від мене, «Сколько нам так еще идти, протопоп?» — спиталася жінка в розстриженого Аввакума, бредучи за ним, вигнанцем, по безкраїй рівнині, і знемігшись безцільністю шляху, й присівши на купині, — і почула у відповідь: «До самыя смерти, попадья». Східний фаталізм, еге ж, — у росіян це є, з нами гірше, складніше, ми, власне, ні се, ні те, Європа встигла заразити нас мутною гарячкою індивідуальної хоті, вірою у власне «можу!» — одначе підстав для його справдження, чіпких структур, котрі б те «можу!» підхоплювали й тримали, ми ніколи не виробили, шамотаючись віками на дні історії, — наше вкраїнське «можу!» самотнє і тому безсиле. Амінь.

Чому тобі здавалося, ніби ти *зможеш* витягнути його на собі з тої ями, в яку він, очевидно ж було, так послідовно вглибав? Власне, насторожитися мусила вже першої ночі — коли, ще тільки роздягаючись, він змружився сторожко, ніби прицінювавсь: «*А ти можеш раніше за мене скінчити?*» — засміялася, переповнена шумовинням сил, як бутель молодого вина: «*Я все можу!*» Дурочка, вже тоді мала би добачити, що він *не партнер*, — що, закам'янілий усередині себе до багаторічної мерзлоти, просто не тямить бути не сам — геть і в коханні («*Ох, як ти*

класно даєш!» — вистогнав у неї — по довгому
нездалому вовтузінні, по страдницьких корчах,
по всіх одчайних ламентаціях — «*Ах, нащо ж я ба-
нячив!*» і «*Ай, бляха, а я так тебе хотів!*», по западан-
ню в кількахвилевий сон — самотній сон, наглухо
відрубаний від її присутности поруч: не зворухнувся,
коли натнулася випручатись з обіймів, ну й пішов
на фіґ, імпотент нещасний, зараз устану, вдягнуся,
запарю кави, скоро підуть автобуси й можна буде
вернутися до готелю, у вікнах майстерні невідво-
ротно блідла, водянистішала світна синява, вири-
совувалися позгромаджувані попід стінами вугласті
стоси полотен із дрижакуватого, як протоплазма,
смерку, паскудна година, година хворих і сорока-
літніх, це в такій, певне, сірій каламуті катуються
позасвітні душі, — і ось тоді він і зробив їй боляче,
таки направду боляче, куди там згадці про втра-
ту цноти, painful intercourse[10], ось як це назива-
ється в медичній літературі, котру вона, зашугана
совкова дурепа, щойно в Америці взялася студі-
ювати, навіть до лікаря була сходила, жеручись
гнітючою призрою, чи щось там у ній, бува, не по-
псулося, прости Господи, і витріщилась, не ймучи
віри, коли лікарка стенула плечима: «I don't see
any problems»[11], — а тоді, вереснувши диким го-
лосом — добу по тому налупцьована матка нила,

10 Болісне злягання.
11 Не бачу жодних проблем.

як перед місячним, — стенувшись, хвицнувши ногами, — *«Мені боляче, боляче, чуєш?»* — вона почула — одночасно з переможно-грізним окриком: *«А слабо за мене заміж вийти? А слабо від мене дитинку народити? Глупа ти, глупа, я ж тебе люблю!»* — як усередині займається й шириться його вогка бубнява горяч, ох, ця хвилина, все — задля неї, побудь, ох побудь ще, не йди, глибоке зітхання, він виринув із неї з таким промитим од літ, розгладженим вологою підсвіткою щастя лицем, аж зір їй заступили мимовільні сльози ніжности, в тих сльозах худий і гострорисий, насторчений вухами й вилицями сільський повоєнний пацанок — батько в таборі, після німецького полону, мати в колгоспі на буряках — стояв із патичком на вигоні, вперше вражений розлитим уздовж обрію, скільки сягало око, черленим золотом заходу в димно-сизому клоччі хмар, світ горів і мінився, все це було в його картинах, вивільнити того пацанка з цього мовчазного й жорсткогубого, добре задбаного й охайно поголеного мужчини — *«Ти не родила? В тебе губи пахнуть неспитим молоком, — от візьму й зроблю тобі дитинку, чуєш? Синочка»,* — то була цілком самодостатня творчість, в якій твоє власне фізичне незадоволення важило не так-то й багато, — залишившись сама — бо він, завинувшись у довгополе, схоже на шинелю пальто, одразу пірвався кудись на помивку: звичайка досить хамська, коли вдуматися, але й це тебе тоді не зразило, — ти муркотливо потяглася, хруснувши сплетеними над головою руками, й визнала собі подумки, з хрипкуватим смішком, — ну от тебе нарешті й *виїбли*, подруга, так-таки прямим текстом — виїбли, уперше в житті, бо доти все більше — годили, панькались, як із теплим тістом, допитувались, які слова любиш, а тут просто взяли та й трахнули по-мужицькому, без цереґелів, — і, дивно, навіть ця думка не була неприємна, і коли ти витягла з сумочки дзеркальце, наперед страхаючись того, що в ньому вгледиш — на третю добу неспання, по всіх викурених цигарках і опівнічних коньяках, оце то фестиваль видався! — то й сама спахнула радісним подивом: на тебе глянуло розпогоджене, відмолоділе до стану твоєї автентичної вроди — делікатне й худеньке, сливе дітвацьке, виплигуюче назовні чорними очиськами личко, яке ти завжди за собою знала, але в дзеркалі не бачила вже хтозна-відколи: ти вернулась до себе, ти була *вдома*, — а він сидів у ногах ліжка, курив і дивився, його невідривно звернене до тебе промінно-заворожене обличчя осявало ще тьмяну майстерню, — вряди-годи нахилявся над тобою: легенько, ховаючи усміх, поцілувати вистромлені з-під відкоченого пледа соски й знов дбайливо, по-селянськи неквапно, як своє добро, вкутати тебе аж під шию, подати чашку з кавою, *«гляди, не розхлюпай»*, і ти тут-таки й розхлюпала, затрусившись хихотінням, *«а я тепер цей плед виставлю — і підпишу, ким заляпано»,* — і, зненацька: *«Чого ти плакала?»* — не скажу, ні, ще не скажу, скажу аж перегодом, за місяць, а раз сказавши, повторюватиму ледь не щохвилини: за браком інших, містківших слів — коли нема такої цистерни, аби заміряти бездонний колодязь, зостається раз у раз опускати й витягати те саме дитяче цеберко, — монотонність повтору, рипіння корби: *я люблю тебе. Я люблю тебе. Я люблю тебе.*)

Оттака ловись, кобіто, — закохалася. Ще й як закохалася — вибухла наосліп, полетіла сторч головою, дзвенячи в просторі відьомським сміхом, підхоплена незримими самовладними нуртами, і біль той не перепинив — а мав би, — так ні ж, вирубала в собі всі застережні табло, що жахтіли червоними лампочками на межі перегріву — достоту перед аварією на АЕС, — і тільки вірші, що негайно ввімкнулися натомість і пішли суцільним, нерозчленованим потоком, пропускали недвозначні сигнали небезпеки: в них нав'язливо проблимували — ад, і смерть, і недуга, *«І жовте море днів, і сизе море снів / В одбитих кольорах вмираючого неба, — / І я іще пливу — а ти уже на дні, / І страшно нам обом дивитися на себе»: «Значить, ти знала?* — визвірився він, свінувши вовчими вогниками в очу, коли вона — втрачати було вже нічого — зважилася дещо з того потоку прочитати йому вголос, — *знала, що так буде? Так якого ж?..*» Ге, серце моє, так у цьому ж вся й штука...

Нніт, не була мазохісткою — була, йолки-палки, нормальною жінкою, чиє тіло тішилося, даруючи радість іншому, та що там казати — класною бабою була, «девочка сладенькая», «фантастическая жен-щина», «stud woman», мусуй-мусуй тепер в пам'я-ті, як книгу відгуків (вигуків) — з тих хвилин, коли мужчини не брешуть, може, хоч дрібку рівноваги собі тим повернеш: була ж! — а от ні, не вертаєть-ся, не спасає — що з того, що була, що завжди при тім чула, з часом більшим, часом меншим темним осадом недовипитости, якою ще могла б бути, — бо є в житті речі, від нас не залежні, бо я є така, який ти зі мною, — в мужчин це трохи по-іншому, в жінок, на жаль, так — і, на жаль, в усьому, і хоч би скільки ліфчиків не попалено було американськи-ми феміністками, з мастурбації — чи то ґумовим пенісом, чи живою людиною, бо живою людиною це теж не що як мастурбація, коли без любови, — не прибуде ні дітей, ні віршів. І все, і клямка. «В цім твоя межа». Як же той кембриджський вірш кінчав-ся? «*Рілля, що прагне борони, / І мокрі, сплакані ворони — / І муж, який не вборонив — / А ждав від мене оборони*». Еге ж, exactly — чи, коли хто воліє, «вот імєнно». От чим ще, до речі, паршива чужа країна — набиваються, натрушуються, як пух у ніздрі, напохватні чужинецькі слівця й звороти, заліплюють пори в мозкові, нахабно тиснуться по-підруч, навіть коли ти наодинці з собою, — і незчу-ваєшся, як починаєш балакати «хеф-напів», тобто повторюється те саме, що вдома (вдома? схамени-ся, кобіто, — де він, твій дім?), ну гаразд, у Києві, в Україні — з російською: всякає ззовні накрапами, зсихається-цементується, і мусиш — або повсякчас провадити в умі розчисний синхронний переклад, що звучить вимучено й ненатурально, — або ж при-норовитися, як усі ми, самим голосом брати чужо-мовні слова в лапки, класти на них такий собі блаз-нювато-іронічний притиск як на забуцім-цитати (наприклад — гарний приклад для студентів, можна навести завтра на лекції: «*Ти себе що — „побєдітєль-ніцей“ почуваєш?*»).

А ще можна б сказати — виступаючи з доповіддю в якому-небудь американському університеті, або на конференції «тріпл-ей-дабл-ес»[12], або в Кеннан Інстіт'ют у Вашингтоні, або де тебе ще там і далі носитиме лихим вітром, сто, максимум двісті баксів

12   AAASS — American Association for the Advancement of Slavic Studies, провідна славістична асоціація США.

гонорару плюс сплачена дорога — і дякуй ґречненько, ти не Євтушенко й не Татьяна Толстая, щоб діставати по тисячі за виступ, та хто ти ваще така, слиш, ти, забацана Ukrainian, дитя відрадненської комунальної «хрущовки», з якої цілий вік марно силкуєшся вирватись, Попелюшка, що летить через океан понарікати за вечерею у Шеффілда з парочкою Нобелівських лауреатів (промінячись навсібіч, чотирма мовами нараз за одним столиком сиплючи) на ідейну вичерпаність сучасної цивілізації, по чім вертається в свою київську кухню площею 6 кв. м. сваритися з мамою й принижено тлумачити рідним редакторам, що «де я, там і буде вітчизна» — то зовсім не значить «ubi bene, ibi patria», — бодай тому, що через цю саму довбану patria тобі ні у Шеффілда, ні у Тіффані, ні на Гаваях, ні на Флориді, ніде й ніколи не є bene, бо вітчизна — то не просто земля народження, правдива вітчизна є земля, котра потрапить тебе *вбивати* — навіть на відстані, подібно як мати повільно й невідворотно вбиває дорослу дитину, утримуючи її при собі, сковуючи їй кожен порух і помисл власною обволікаючою присутністю, — а, що там розводитися довго, тема мого сьогоднішнього виступу, леді й джентльмени, — як і зазначено в програмі, «Польові дослідження з українського сексу», і, перш ніж перейти до неї, хочу подякувати всім вам, присутнім і відсутнім, за нічим не виправдану увагу до моєї країни й моєї скромної особи, — от чим як чим, а увагою ми досі розбещені не були: по-простому сказавши — здихали, на фіґ ніким не завважені (я тут ще в досить упривілейованому становищі, бо якби зважилась, плюнула й висипала в рота разом усю решту таблеток із жовтогарячого слоїчка, то тіло виявили б досить хутко, десь, либонь, день на третій: Кріс, факультетська секретарка, зателефонує, тільки-но я не з'явлюся на лекцію, отже, гріх нарікати, ниточка-павутиночка, хай і тонюня-провисла, щоб, за неї шарпнувши, дати світові знати про свій черговий, цим разом останній, від'їзд, у мене все-таки є, — і якби з тим чоловіком щось сталося там у пущі, — хоч я й не думаю, аби з ним щось сталося, він ніколи не вчинить цього сам, забагато має в собі злости для такого діла, — то Марк і Розі щодня ж навідуються до нього), — так ось, леді й джентльмени, прошу не поспішати кваліфікувати розглянутий випадок закоханости як патологічний, бо доповідач іще не сказав головного — головне ж, леді й джентльмени, полягає в тому, що в житті піддослідної то був перший *український мужчина*. Направду — перший.

Перший *готовий* — кого не треба було вчити української мови, тябричити йому на побачення, виключно аби розширити спільний внутрішній простір порозуміння, книжку за книжкою з власної

бібліотеки (Липинський, Грушевський, і про Гор-
ську він також не чув, ані про Світличного, за ним
були зовсім інші шістдесяті, добре, я тобі завтра
принесу!), а в часі любосного воркотання мимобіж-
но згадавши «Не захист мрій — блаженний дім...»,
тут-таки запускатися в півгодинний коментар про
життя і творчість автора — це, знаєш, був у трид-
цяті такий поет на Західній Україні, — і отак, хай
йому грець, все життя! — професійна українізаторка,
наче ще по одному органу їм усім нарощуєш, ко-
ли-небудь наша незалежна, чи радше ще-не-вмер-
ла, якщо до того часу не вмре, мала б запровадити
якусь спецвідзнаку — за кількість українізованих
койкомісць, ти б їм загаратала список тобою на-
вернених! — а то був перший мужчина з *твого світу*,
перший, з ким обмінювалося не просто словами,
а зараз усією бездонністю мерехких, колодязним
зблиском підсвічених тайників, тими словами від-
слонених, і тому говорилося легко, як дихається
й сниться, і тому пилося розмову смажно висушени-
ми вустами, і впивалося все запаморочливіше, о, ця
ніколи не знана сповна свобода бути собою, ця гра,
нарешті, в чотири руки по всій клавіатурі, натхнен-
ність імпровізації, скільки іскристої, сміхотливої
енергії вивільняється, коли кожна нота — іроніч-
ний натяк, відтінок, дотеп, доторк — умент резонує,
підхоплена співрозмовцем, кульбіт у повітрі, про-
сто від надміру сили, жартівливе колінце — ближ-
че: можна? і от уже — двозначніше, ризикованіше,

і от уже — впритул, і от уже, заглушивши мотор (бо ти таки сіла, врешті-решт, у ту його машину — після відвідин майстерні, після того, як угледіла навіч, *хто він*), — навальний перехід на іншу мову: губами, язиком, руками, — і ти, відхиляючись зі стогоном: *«Поїхали до тебе... В майстерню...»* — мова різко скоротила ваш шлях назустріч одне одному: ти впізнала: свій, в усьому — свій, одної породи звірюки! — і в ній же, в мові, було все, чого ніколи потім не було між вами в ліжку.

«Gosh, if he only weren't such a damned good painter!»[13] — казала ти, сидячи в барі «У Крістофера» на Портер-сквер, ти випила натще два келихи каберне-совіньйон, і тебе трошки розпружило — вперше за ті кембриджські місяці, запаморочливо легким, дерзновенним підняттям, ой випила — вихилила, сама себе похвалила, ех жаль, нема з ким заспівати, — Ліса і Дейв слухали, як малята різдвяну казку, забувши хрумтіти чіпсами, Slavic charm[14], ось як це в них називається, — ти любила той бар, глуху пляшкову зелень декору, яка наводила на гадку про ломберні столики, так само як і низькі світла, що відсувають лиця у притемок, і чоловіків, скупчених при шинквасі за спогляданням бейсбольного матчу,

13 Господи, аби ж він тільки не був такий збіса добрий художник!

14 Слов'янський шарм.

і гул голосів, і ніч за далекими вікнами, її густий коричневий вар, в якому плавляться жовті цукати ліхтарень, — все нараз, бо тільки так і дається увійти в світ *чужого*: приймаючи все нараз, усіма змислами, і ти це вміла, ти просто втомилася, за всі роки бездомних блукань, любити світ *самотою* — проходити анонімною й нерозпізнаною через сутеніючі аеровокзали, ресторани й бари з теплими вогнями, морські узбережжя з надбігаючим шелестом прибою по ріні, вранішні готелі з кавою в холлі, — «Where are you from?» — «Ukraine», — «Where is that?»[15] — ти втомилась *не бути* в цьому світі, втомилась волікти додому в зубах спрагло виссані з нього згустки краси й радісно лементувати: «Адіть, дивіться!» — але вдома, в твоїй бідній забембаній країні — країні урядовців в обвислих штанях і всіяних лупою піджаках, оплилих письменників, зугарних читати лиш одною мовою, та й з того вміння нестак-то вжиткуючих, і бистрооких, жучкуватих бізнесовців із навичками колишніх комсомольських секретарів, — все воно якось ні до чого не кріпилося, провисало непритокмане й ото хіба тільки до виливу жовчі дрочило, своєю туманною, зашифрованою в незнайомих іменнях і реаліях недосяжністю, натоптуваних домашніх самоуків (чомусь незмінно — на куцих, жокейськи вивернутих ногах: порода така, чи що?), заквашених де-небудь в обласній публічній бібліотеці імені Грьоміна в час,

---

15 «Звідки ви?» — «З України». — «А де це?»

коли ти мала нахабство (чи може, дурне щастя, думалось їм?) вештатися по Гарвардській «Вайденер» і де там ще, — ти втомилась *нерозділеністю* своєї любови до світу, і в тому чоловікові — щойно опинившись у нього в майстерні, ставши (в окулярах з товстими скельцями) перед розверненими лицем, одне за одним, полотнами, що громадилися вздовж стін, назбируючи порохи, — ти блискавично вгадала свій єдиний, кругло-довершений шанс на *несамотність* отої любови, — саме тому, що він був such a damned good painter[16], — але вже це Лісі з Дейвом годі було розтлумачити, ти й не намагалася, Ліса вражено всміхалася своїм неправдоподібно яскравим, схожим на збудженого коралового молюска ротом, і очі їй вологого блищали: What a story![17] О так, страшенно романтична love story — з пожежами й автокатастрофами (бо ту славнозвісну машину він одної ночі взяв та й розгепав, казав, на друзки), із таємничим зникненням протагоніста й від'їздом героїні за океан, з купою віршів і картин, а головне — з цим постійним, непереданим наскрізним відчуттям, якому, власне, ти й улягла: відчуттям, що *все можливо*: той чоловік грав без правил, точніше, грав за власними, як правдивий кантівський ґеній, в його силовому полі пробуксовувала будь-яка передбачувана логіка подій, так що був він сам собі the land of

16   Такий збіса добрий художник.

17   Оце так історія!

opportunities[18], і що вже там серед тих opportunities не чаїлося вготованим на майбутнє — смерть в черговій з ряду автокатастрофі (ні, Господи, ні, тільки не це!) а чи тріумфальний прохід по світових музеях, — наплювати, дарма, аби тільки виламатися, вимачкуватися з колії — з отої віковічної вкраїнської *приреченості на небуття.*

Це окрема тема, леді й джентльмени, пані й панове, перепрошую, якщо забираю вам забагато часу, мені нелегко про все це говорити, до того ж я дійсно тяжко недужа, моє зацьковане, виголодніле, а коли не бавитися евфемізмами, так і просто згвалтоване тіло третій місяць невгаває в дрібненькому нутряному дрожі, особливо жаскому — до млости! — внизу живота, де повсякчас чую давучий битливий живчик, і коли розчепірюю пальці, то вони негайно починають жити самостійним життям, ворушачись кожен зосібна, ніби натягнені на порізнені, в незгідних ритмах посмикувані ниточки, я вже мовчу про бубняві, як у підлітка, рожеві прищі, котрими зацвітають обличчя і плечі, і нема на те ради, — горопашне тіло ще живе, воно качає права, воно доходить з елементарної сексуальної голодухи, воно б, може, й оклигало, і заплигало зайчиком, якби його

18 Край необмежених можливостей.

всмак трахнули, але, на жаль, цю проблему не так легко розв'язати, надто коли ти сама-одна в чужій країні й чужому місті, в порожній квартирі, де телефон озивається хіба на те, щоб запропонувати тобі — рідкісна нагода, тільки на цьому тижні! — ко-ло-саль-ну знижку на передплату місцевої газети, і звідки вигрібаєшся тричі на тиждень — до університету, де півдюжини охайних, взутих у білі шкарпетки й кросівки, чистенько вмитих і дезодорованих американських дітлахів із здоровими, аж вогкими шкірою й зубами, водячи за тобою, як манджаєш туди-сюди по аудиторії, поглядами акваріумних рибок, щось там — один Біг відає, що! — тихенько шкробають собі в зошити, поки ти, сама себе накручуючи (ну бо треба ж якось протриматись годину з чвертю!), палко тлумачиш їм, що не було! не було в Гоголя, такого, який він був, натоді іншого вибору, окрім як писати по-російськи! хоч плач, хоч гопки скачи — не було! (і в тебе — також немає, окрім як писати по-українськи, хоч це і є, либонь, найяловіше на сьогодні заняття під сонцем, бо навіть якби ти, якимось дивом, устругнула в цій мові що-небудь „посильнее „Фауста" Гете", як висловлювався один знаний в історії літературний критик, то воно просто провакувалось би по бібліотеках нечитане, мов невилюблена жінка, скількись там десятків років, аж доки почало б *вихолодати*, — бо нерозкуштовані, невживані, непідживлювані енергією зустрічної думки тексти помалу-малу вихолодають, ще й як! — якщо тільки потік читацької уваги вчасно не підхоплює й не виносить їх на поверхню, каменем ідуть на дно й криються нездирним зимним лепом, як твої нерозпродані книжки, що пилюжаться десь удома по книгарнях, таке сталося майже з цілою українською літературою, можна на пальцях вилічити — не авторів навіть, а поодинчі твори, яким пощастило, — з отерпом у пучках і сльозами в очу ти читала надісланий тобі тут, в Америці, переклад «Лісової пісні», авторизовану версію, призначену для бродвейської сцени, кайфувала, як наркоман, од її прискореного жагучого віддиху: живе! живе, не пропало, через сімдесят літ, на іншому континенті, в іншій мові — скажи ж ти, випливло! — розуміється, що іншого — писати по-російськи чи по-англійськи, на перший же твій вірш, видрукуваний англійською, і то в цілком малопомітному журналі, екстатично відгукнулось, звідкілясь трохи чи не з Канзасу, якесь там «The Review of Literary Journals», це ж треба, і Макміллан збирається включити його до антології світової жіночої поезії ХХ-го століття, «You are a superb poet»[19], — кажуть тобі тутешні видавці (зволікаючи, проте, з книжкою), спасибі, я знаю, тим гірше для мене, — але в тебе нема вибору, золотце, не тому, що не зуміла б змінити мову, — пречудово зуміла б, якби трохи помарудитись, — а тому, що заклято тебе — на вірність мертвим,

19   Ви блискучий поет.

усім тим, хто так само несогірше міг би писати — по-російськи, по-польськи, дехто й по-німецьки, і жити зовсім інше життя, а натомість шпурляв себе, як дрова, в догоряюче багаття української, і ні фіґа з того не поставало, крім понівечених доль і нечитаних книжок, а однак сьогодні є ти, котра через усіх тих людей переступити — негодна, негодна і все, іскорки їхньої присутности нема-нема та й укидаються в повсякденному, навзагал геть спопілавілому бутті, і оце й є твоя родина, родове твоє древо, аристократко забацана, прошу пробачення за непризвоїто довгий відступ, леді й джентльмени, тим більше, що до нашої теми він, властиво, не тичеться). Леді й джентльмени, жаль за власним, з дня на день маркованим тілом — це почуття, знайоме хіба ГУЛАГівським в'язням: вечорами у ванні я розглядаю перед дзеркалом (начепивши совині окуляри, ті самі, з товстими скельцями, так що вигляд маю достолиха кумедний) свої груди, досі такі незмінно кулясто-пружні, визивно насторчені пипками врізнобіч («Это ж надо, — казав колись, нестак і давно, один недоукраїнізований мною мужчина, — наверно, четвертый размер, а как держится!»): цієї осени вони вперше охляли, недвозначно посунулися долі, наводячи на гадку про перестояне сире тісто, і взялись якимись відворотними плямками, схожими на піґментні, а вершечки щодалі, то більше нагадують потемнілу шкірку зморщеного персика, — той чоловік був з тих, хто взагалі кепсько уявляє, що робити з жіночими грудьми, окрім хіба як ущипнути крізь одежу, але справа, звісно, не в ньому, — це було гарне тіло, здорове, розумне й життєрадісне, і, слід віддати йому належне, воно збіса довго тримáлось, тільки з тим чоловіком зворохобилось одразу, але я прикрикнула на нього, грубо й нецеремонно, а воно противилось, скімлило якимись хронічними застудами, опухлими залозками й лихоманковими висипками, «ослаблення імунітету», казали лікарі, а я виборсувалася з постелі, заклеювала висипки пластирем і, палена гарячкою, летіла на вокзал, поїзд, гримочучи по стиках рейок, мчав мене крізь ніч у місто, звідки мовчав той чоловік, розгепавши на друзки свою дорогоцінну машину, в ніч аварії мені приснилося, начеб йому її вкрали, і вірші, несвідомі яви, але, своїм звичаєм, сновидно-видющі, напливали, як у тумані крайобраз за вікном: *Тоді ще мав упасти сніг. / Ще осінь пахла корвалолом, / І авта, збившися з доріг, / По гаражах зіпали кволо*, — я досить довго чинила насильство над своїм тілом, воно мусить мати на мене кривду, чи, по-тутешньому, grudge, а тепер, заднім числом, незгурт і можу для нього зробити, — хіба вимучувати щоранку безцільними присіданнями, після яких обманом стужавілі стегна ниють забутим солодким стогоном, та ще тупо, як на працю, волочити його вечорами до басейну, де мене вже знають: заповита в пістрявий тюрбан негритянка-дженіторша, що видає на вході ключі од lockers'ів[20], сліпучо спалахує навстріч зубним бліцем: «You're pretty faithful to that swimming, huh?»[21]—Боже, яка вона мила, м'яка й ласкава, як вода в басейні, од першого-ліпшого щирого слова я зараз ладна розревтися з місця, мов зацьковане вовченя-підліток, ладна їсти з кожної руки, хоч би й цієї простягненої, довірливо розкритої — рожевою наготою назверх — долоні з золотим ключиком на червоному капроновому шнурочку, в яку, хапаючись, оповідаю, що мушу, дослівно мушу сюди вчащати, що лиш так і рятуюся од депресії — Великої Американської Депресії, на яку страждає, здається, сімдесят відсотків тутешнього населення, бігають до психіатрів, ковтають «Prosac», кожна нація божеволіє по-своєму, і мою депресію, котра насправді має іншу назву, я, хоч-не-хоч, уже наломилася перекладати зрозумілою їм мовою: broken relationship, до того ж straight after the divorce, до того ж sexually traumatic[22], а далі вже все за підручниками з психіатрії: fear of intimacy, fear of frigidity, suicidal moods[23]— словом, класичний випадок, навіть до психіатра вдаватися не варт,

20   Шафок (у роздягальні).

21   Таки вірно тримаєтеся цього плавання, еге?

22   Розірваний зв'язок... одразу по розлученні... сексуально травматичний.

23   Страх близькости, страх фриґідности, суїцидальні настрої.

і моя благословенна негритянка, така розлого-тіліста за тісною стойкою, розкішно й тепло, по-коров'ячому ситна, Велика Мати, ніжне, парне мукання й шорсткий язик, — киває з мудрим, порозумілим усміхом: «I've been there, — каже вона, — with the father of my kids»[24], — он як, вона розлучена, single parent[25] з двома малюками — і такі ж чудові малюки, меншому невдовзі два рочки, коли є діти, воно легше — і тяжче, і легше («*А тепер*, — казав той чоловік, тріумфально світячись над нею в темряві спітнілим хлопчиком, — *ось тепер ти завагітнієш: я просто в тебе кінчив!*» — «Ні, — сміялась вона — тихенько, щоб не розхлюпати наллятої в неї по вінця ніжности, — *ні, серденько, сьогодні — ні*», — а проте це, либонь, і була, з першої ночі, головна зачаєна думка, підводна течія тої любови: *синочок*, Данилко, потайки визначила вона, — вкритий лоскотливим курчачим пушком чолопок, жаб'ячи скорчені ніжки, крихітні пуп'янки пальчиків, ай, Боже ж мій! — у снах вона жадібно тулила його до грудей: якір, що утримує при життю, той, без якого ми, дівоньки, на цій землі неповноправні, «непрописані»: не слово, чи бодай літера, в тексті, а випадкова капка на берегах, — а вірші тимчасом глухо бубоніли самі до себе, розпадаючись різноголоссям: «*Зимно мені, коханий. / — Накинь пальто кожушане. / — Сумно*

---

24 І я таке пережила — з батьком моїх дітей.

25 Мати-одиначка.

мені, коханий. / — До праці берись, моя пані. / — Ах, щось воно все мені лінки... / — Бо треба б тобі дитинки. / — Страшно, коханий, з нею / Стати навік твоєю», — не згадувати, ліпше не згадувати!), — «Everybody seems to have been there»²⁶, — завважую, з відчуттям хвилево відсунутого тягаря прилучаючи себе бодай до якогось *ряду*, спільноти: join the club!²⁷ — о так, статечно киває моя негритянка, every woman has been there²⁸, — і, з лукавим жіноцьким прижмуром: може, якраз тут, у басейні, когось і зустрінеш? Тут впору розреготатися — бодай тому, що цієї осени, через силу волочачи своє нещасне, пригноблене тіло вулицями чужого міста, ти вперше спізнала самопочуття *невидимки* — не відразу навіть і втямила, в чім річ, а втямивши, почала чіпко придивлятися: атож, так і є — зустрічні мужчини ковзали по тобі байдужливими, незрячими поглядами, як по неживому предмету, і навіть в автобусі, зближаючись, підіпхана тлумом, на ризиковану відстань до чиєї-небудь крижастої спини з хокейною емблемою, ти не вловлювала того блискавичного, промельком, тварного імпульсу, — скинутись, озирнутись, — що то вмикається в них відрухово, просто на запах жінки, але не тільки: насправді-бо вони — може, хіба крім зеків та солдатів, пошизілих

<hr>

26   Схоже, що кожен таке пережив.

27   Просимо до гурту.

28   Кожна жінка таке переживала.

од абстиненції бідак, — відзиваються не так на жінку, як на жодним приладам не піддатні, купно наведені на цю жінку частоти всіх інших мужських домагань, котрі в цій хвилі облягають її (а мене якраз у цій хвилі *не* облягають!) густо наелектризованою еротичною хмарою — недарма кажуть, що засватана дівка всім подобається: ось це і заводить їх по-справжньому, змушує пашіти од ярости роздутими ніздрями й бити в землю копитом од нетерплячки — дух суперництва, хіть перемагати, виклик на герць, нечутний звук бойової сурми, що коливає повітря, ненастанна потреба доводити власну зверхність над усіма іншими, дарма що ніколи не баченими: «*Ти мені скажи — тобі з чоловіком добре було?*» — «*Дуже!*» — рубонула зопалу щиро, як ляпаса відважила, — аж скулився: ну бо сил уже неставало вивертати себе через горло, примилятися, глитаючи обиду за обидою, та безецно, мов шльондра за плату, демонструвати, який то він, хай йому абищо, кльовий («*Безстидниця, цицьки вивалила!*» — ґзився, мов ужалений, в останніх днях співжиття, застукавши її напівголою, злостячись сам на себе — що все ще, попри всякий глузд, міг хотіти цю жінку, з якою ні чорта не виходило, опріч взаємного мордування, «*як обценьками стисло*», — а от не треба було з відмичкою: плигонувши під ковдру о третій над раном, колошкати, перевертати на спину, діловито всаджувати пальчика, куди не просять, так я й сама себе можу потішити, ба ні, ліпше можу, ніжніше, тіло боронилося поза моєю власною волею, а я, в тілі, невідь-звідки вгніжджений, розростався — *страх*, так безмисно пущений мною повз увагу: воно чуло за цим чоловіком *щось*, чого не чула я, — сама тимчасом перетворюючись на ягу, на каструючу меґеру з лещатами в лоні: а зась не знаєш! і отут-то й починався рев защемленого самця: «*Та ти знаєш, скільки в мене жінок було!*» — а плювати я хтіла на твоїх жінок, скільки б їх у тебе не було, мені — не залежить, мені не перемагати треба, а — любити, любити, розумієш ти?! — так що в наготі її, слід визнати йому рацію, справді було безстидство: то була нагота зумисна й образлива, та, котрою не спокушається, а демонструється зневагу — можу стригти при тобі нігті на ногах, голити литки, залишати по собі ванну несполісканою, в прилиплих до стінок темних завитках волосків, підмиватись, мастурбувати — тільки ж не так, о, не так, як це буває, коли кожна, щонайдрібніша об'ява тілесної свободи іншого приймається як дарунок, як ще один самоцвітний знак довіри і з місця збурює в тобі гарячу хвилю вдячної ніжности, не так, як було між нами вдома, в ті дні, коли ми стоконилися по випадкових пристановиськах, лізли в листопадову ніч через вікно чужої дачі, де стояла семиградусна студінь, потемки пили, щоб зігрітись, коньяк, не скидаючи пальт, і я хухала на твої шорсткі, закоцюблі руки, і ховала їх собі під светра, бо там було найтепліше, і ти сміявся й плакав, задихався,

59

не ймучи віри: «*Це ти? Невже це ти?*» — та осінь була осінню ключів, зроду-звіку я, позбавлена власного дому, не тягала в сумочці й по кишенях стільки позичених ключів нараз — здавалось, бряжчу ними на бігу, мов ярмарковий коник, притягуючи до себе всі погляди, і, як і коника, від того хіба поривало весело заіржати, і коли ти в чужій хаті грів воду мені на купіль у двох здоровенних баняках, витягав опівночі відро з невидимої, лиш плюскотом вгадної для мене криниці серед двору, а я стовбичила в дверях у халатику на голе тіло, не відчуваючи холоду, і потім, защіпнувшись у ванні, вгледіла в мильничці ще вогке після тебе мило, примоцьоване, твоїм звичаєм, шпетненько, сторцом — щоб стікало, а моє завжди лежало плазом і квасилося в калюжці, і я дивилась на те мило й була така по-дурному щаслива, як бувало тільки в дитинстві, бо тільки там і був у мене дім, я втомилася, любий, о, як я втомилася, єдине, чого мені тоді хотілось, — щоб ти був поруч і намилював мене, але ти замкнув мене в тій хаті на ключ, а сам погнав машину кудись у ніч по харчі — ай, йолки-палки, та хрін з ними, з харчами, чоловіче, скільки того життя, скільки тої любови, щоб акуратненько краяти її ножиком на сніданок і вечерю!). «*Скільки разів ти любив?*» — «*Три,* — рахував, примкнувши повіки, — *це четвертий*», — «*Щось забагато, як на одне життя, — аж три великі кохання...*» — «*Чого зараз — великі?* — сміявся очима, й вона відтавала усміхом йому назустріч: — *Може ж, якраз і мишачі — невеличкі такі?»* — хто видав таке говорити на свою любов, навіть якщо затоптана, навіть якщо минула, і переїхала тебе навпіл, як ваговоз пса на дорозі, як мене, тоді взимку — переліт через Атлантику: до п'ятої ранку, до самого таксі в аеропорт я *чекала* — дзвінка, якщо не одвірного (тисячу разів, до виснаження, прокручений уявою кадр: відчиняю двері — і на порозі стоїш ти, ледве стримуючи ввігнутими кутиками вуст несамовито-радісне світло, що рветься з лиця назовні: нарешті, ах ти Господи, ну роздягайся, ну як же можна було так, ах ти, бідо одна ходиш, ну що сталося, а я так перемучилася, думала, з ума зійду!), — то бодай телефонного дзвінка, слова, голосу, — кінчика нитки, за який ухопившись, потягла б розмотуватись за собою з континента на континент, невже? — верещало моє ошпарене розпачем нутро, невже?! — таксі вивалило мене в замет перед входом до зали міжнародних рейсів, який порожній, як мертво — мов крематорій — освітлений Бориспіль о п'ятій ранку, станція Чортів Тупик, головні повітряні ворота країни, хха! — країни, безнадійно *неприналежної* до нервової мережі, що рясно оповиває планету, що стугонить день і ніч, перепомповуючи через ґіґантські ґанґлії портів, і вокзалів, і митниць метушливі потоки збуджених людських нейронів, Шереметьєво, Кеннеді, Бен Гуріон, і де тільки мене не носило, хай це все марнота марнот, хай утома духа й тіла, зате — рух, зате — вовчий гін за життям, вискаливши зуби: ось-ось дожену, вчеплюся в загривок! — а в Борисполі на одчайдушно лункий, наче крик у пустому домі, звук моїх підборів з-під стін піднімались, поверх неоковирно наскиртованих бебехів, розфокусовані сонні лиця, помалу розпростуючи риси, як потривожені нічні тварини: мов тут вони й мешкали, єврейські посімейства у вічному чеканні, аж розхилиться брама кордону й можна буде шаснути в шпарину, і ото так проводжала мене моя країна, країна, в яку я, після всього, — вернуся, авжеж, і дарма мої добросерді американці радять мені податися на ще якусь стипендію, запевняючи, що маю добрі шанси, я вернуся, я поповзу доздихувати, як поранений пес, залиганий повідком нікому не знаної мови, а ви згадайте про мене в «The Review of Literary Journals», еге ж, і ще моя позаторішня стаття про українську літературу в «Partisan Review» була не зовсім дурна, її помітили, на неї — овва! — відгукнулось «Times Literary Supplement», але в головну думку ви, братці, однак не в'їхали, вона здавалась вам кумедною, і не більше: що український вибір — це вибір між *небуттям і буттям, яке вбиває,* і ціла література наша горопашна — лиш зойк приваленого балкою в обрушенім землетрусом домі: я тут! я ще живий! — та ба, рятувальні команди щось довго дляються, а самому — як його викопаєшся? Живою на мить відчула себе у Франкфурті, при пересадці: наскочивши, з розгону сліпого простування коридором, на двох поставлених правцем прикордонників, двох однаково рудих гевалів-німчурак в однаковому просянистому, геть і по руках, ластовинні, котрі, із здоровою молодечою цікавістю її розглядаючи й весело перегарикуючись між собою по-своєму, перевірили їй паспорта, спитали на зачіпку, дистильованою міжнародною англійською, куди летить, — до Бостона? о, там зараз холодно, найсуворіша зима за сто років! — «I know»[29], — відказала, завчено черкнувши усміхом, як підмоклим сірником, і, в цьому підігріві звіриною, чисто тілесною снагою, якою од них війнуло, вперше на віку вловила в собі цілком невичитаний, безконтрольний порив *ламати руки*: не народнопісенний зворот, ні! — ой ломи, ломи білі рученьки до єдиного пальця, та не знайдеш ти, ой дівчинонько, над козака коханця, — а щонайбезпосередніша, нездоланна фізична хіть випручати цим надсадним жестом ще живе тіло із тісного панциря муки, що обложив звідусюди давучим тягарем: Миколо, Миколо, писала йому перегодом із Кембриджа на безвість, на «до запитання», бо більше не було куди, — що ж ти чиниш, любов моя? Навіщо ж ти обертаєш на смерть те, що могло б бути таким безумно яскравим — життям, горінням, парним польотом навзаєм зчеплених зірок крізь fin-de-siècle'івську тьму? Блін, от би тепер перечитати ту писанину — од самого стилю, либонь, уреготатись

29   Я знаю.

можна! — на медицині! на медицині треба б вивча-
ти курс українського романтизму, на психіатричних
відділеннях! «*Листи повернеш*», — розпорядилася
наостанці, шорстко й діловито, — не те щоб їй
справді так уже баглося мати ті листи, що було —
відгуло, фіґ з ними, а от вивільнити з-під нього всі
рештки себе, в яких іще знати кволе посіпування
живця, свербіло, і то дуже, — а він з місця замкнувся,
виставивши насторч оте своє небезпечно розви-
нене, куди там псевдомужнім голлівудівським спер-
матозаврам, підборіддя: «*І не подумаю. Це — моє*», —
твоє, голубе мій, іно те, що намалював, і не треба
себе дурити: в що сам не провалюєшся — на безбач,
з головою, — ніколи твоїм не стане. Спиши слова,
дозволяю, чого ж. А, і ще одне, мало не забула:
от тим-то й кохання твої — мишачі виходять: неве-
личкі такі.

«*Слухай*, — казала наостанці, несміливо простягаю-
чи до нього голос, як ото з гнітючої нічної мовчан-
ки — руку під ковдрою, коли лежав поруч, зачаєний
без сну: — *а може, ти мене просто — й не любив?*»
Бо тоді справді було б простіше: легше. Але він
повертав до неї надтріснуте гірким усміхом об-
личчя — Господи, яку болісну, невтолену спрагу
зроджував колись у ній цей профіль: мовби, добу
не пивши, дивилася на поміщений за товстим

склом, запітнілий од зимна гранчак з водою, і от, іно скло й зосталося, — дивився очима хворої тварини: *Вже знов починаєш нагружати?* Прости. Любив, я знаю, — любив, як умів: в собі, а не з себе, і мені перепадали, таки ж як мишці — окрушинами під стіл, — тільки промінний од захвату погляд, що часом проривався коротким, скупим пригортанням, ледь не сором'язливим, грубувато-хлоп'яцьким тицянням кудись у шию: *Кльова ти чувіха!*, та ще спалахи непідробного щастя на мій вид, навіть коли впадала з вулиці, заскочивши його при полотні, а це було — що бурнути відро води на сонного: сахався від полотна дико, як схарапуджений жеребець, гакнувши нажахано, з місця скрутнувшись пригинцем в оборонну стійку: зараз зацідить! — і вже наступної миті — впізнав! — оскирене лице одмінялось, спалахувало, роблячись таким, як тоді, вночі, — і як тоді, коли знімав з вітрової шиби ще цілого автомобіля мої приліплені записки, бо я частила ними, мов у лихоманці, в ритмі зубовного дробу, розкидала їх повсюди, хапливо засліджувала ними його простір, жовтенькі метеликові аркушики, довге летюче письмо, як розповита за вітром коса: тримай мене, о тримай міцніше, не відпускай мене в небо! — і тримав, і носив по кишенях куртки пук схожих на осіннє листя записок, декотрі, головніші, вклеював у мої книжки (перший автограф був — при перших відвідинах майстерні: підписалася, вже передчуваючи неминучий зудар двох зустрічних лавин: «щиро скорена», — і майже зразу по тому прийшли й перші «від нього» вірші, бо вірші — вони, повторюю ще раз, в разі хто не встиг собі занотувати, — завжди *від когось*, хай би той хтось про те ні сном, ні духом: *«Більше, ніж брат, бо вітчизна і дім. / (Руки голодні, і губи голодні.) / Жоден з нас двох не помер молодим / Тільки на те, щоб зустрітись сьогодні»*: *«Знаєш*, — патякала, ох як же легкомисно, раз уночі, — *а не треба нам одружуватись!»* — «Чого?» — закляк, як струмом ударений, посеред кухні з недонесеною до плити туркою в руках: золотко моє, хлопчик настрашений! — *«А — давай ліпше побратаємось»*, — веселилася цілим серцем з його переполоху, і він шумно перевів дух: жарт, ну розуміється, жарт! — а побраталися ми, між іншим, давно, задовго до того, як стрілися, бо це до тебе, серце, авжеж до тебе гналися з мене, задихаючись, крізь роки надсадно зжужманої молодости непорозуміло-темні рядки — ніколи не давала в друк! — у яких нема-нема та й вигулькував назверх якийсь, підводним нуртом винесений «брат-чорнокнижник», котрого зроду ж не мала: мала — друзів, коханців-закоханців, чудесно-пружно підкидний, хоч у багатьох місцях і дзюравий, батут поспільного захоплення: кльова чувіха, еге ж! — мала мужа, який навчив приймати й шанувати — вклоняюсь доземно, без дурників! — любов правдиву, ту, що роститься роками й робиться рівновелика життю, — а за всім тим глухо клекотало в крові, грізно обіцяючи збутись: «*Брате мій, чорнокнижник, / Де ти тепер єси? / Судитимуть нас без знижок / На те, що «такі часи»: / Не ці-от, в чорних сутанах, / Не кат із лезом рудим — / Судитимуть ті, що настануть, / Коли розвіється дим. / Проб'ються травинки гострі / Крізь мертві, отверзті роти, / В мої обгорілі кості / Сядуть грати чорти, / І місце моєї страти / Парканом крутим обнесуть. / Який тоді нас, мій брате, / Чекає посмертний суд?»* Цікаве питання, ні? Тож бо й воно. І от, «більше, ніж брат», — це і є «брат-чорнокнижник»: мала б зразу впізнати, та що там мулитись, і впізнала зразу — щойно забачивши той його цикл із відьмами: зеленоликі, мовби при місяці, але в розповні дня, бо на вохрі, на золоті, пісенним «вербовим колом», чи радше кривим танцем, розгорнуті, плавко так, полотно за полотном, — простоволосі жінки в додільних білих сорочках, змахи рук, сухий тріск волосся (з мого також не раз сипалися іскри, як чесалася!) — що вони роблять, чи село од чуми об'орюють? Ні, щось темніше, ризиковніше, і мета неясна — дзюрить, стікаючи в миску, менструальна кров, б'ється півень під пахвою, ні, так далеко я ніколи не забиралася: упритул, бувало, підступалась, але зараз же й бокувала, забоявшись божевілля, що десь там ухало в тьмі по-совиному, а цей хлоп копав там, де й я, і, єдиний з усіх, робив це, ах холєра, — аж слину крізь стяті зуби всичала з захвату! — *ліпше* за мене:

глибше, потужніше, та йолки, просто *безстрашніше*: навпрошки, на всенький обсяг ритмічного — полотно за полотном, як систола-діастола, — дихання,
плив у потоці, до якого я доскакувала — проривами, виносячи в зубах по одненькому віршу, Боже,
який це клас, коли бачиш когось *дужчого* за себе! —
«Пане Миколо, що тут мається на увазі? — дзявоніла, завчено-мокро сковзаючись на шиплячих, проте все ж таки, „из уважения к объекту", з української
не злазячи, заїжджа, як і ти, київська іскуствоєдка
з натренованою манерою раз у раз закладати пальчиками, дійсно гарними, космики за вушко — жодна
мистецька збіганка без них, рибок, не обходиться,
надто там, де пахне артистично блядськими мужиками, роздратовано думала ти, бо тебе вже зачепило, тобі вже праглось його неподільної уваги,
тільки ж не цвікати йому в очі з цією дурочкою навзаводи: — Якийсь народний, е-е, обряд? Повір'я?»
Він стримано кивав — і тим ніби вступав з тобою
у змову; «А який саме?» — «Про це не можна говорити», — відказував поважно: так, саме так, братіку,
не можна, це тайна, твоя і моя, — печать на вуста,
як сухий цілунок: замкнути, мовчок, мовчок).

«*Бачиш*, — показував їй, у перших тижнях співжиття — нова країна, новий континент, тепер усе буде
по-новому, з чистої сторінки, еге ж, — чи не першого

нового, не «з запасників», шкіца, туш-перо: — *дивись, манюня, це — любов*». Любов виглядала так: «манюня», цебто досить умовна гола кобіта, лежала на постелі («*Безстидниця, цицьки вивалила!*», але то настало вже потім...) і грала на скрипочку («*Це що,* — видихнула з сардонічним смішком: *вночі знову було боляче, а йому хоч би хни, — метафора мастурбації?*» — «*Може бути,* — згодився безтурботно, пустивши проз вуха її наїзд: надто зосереджений був на шкіцеві: — *це з одної польської пісеньки, я колись почув, запам'ятав собі*»); низ живота їй цнотливо затуляв розпластаний, густо заштрихований котик — ну, з котиком усе було ясно, котиком був він сам («*Ось тут ти й попалась!* — зблиснув очима ледь не зловтішно, почувши, що вона за східним гороскопом — Миша: — *Тому що я — Кіт!*» — гм, з котами в неї складалось не вельми, взагалі-то вона воліла собак, ніколи не пропускала нагоди поплескати між вухами навіть шолудивому приблуді, але тоді — тоді заполонило дивним, обезвладнюючим щемом вже-оприсутненої небезпеки, і це було сумно й солодко: попалась, кінець, що ж тепер, не втечеш уже, — тільки на шкіц дивлячись, подумала, внутрішньо здригнувшись: а що, як котик, вигнувши спинку, раптом візьме та вгородить *туди* пазурі?..); в ногах ліжка стояв вазоник з чимось крислатим, на крислатому сиділа птичка з обручкою в дзьобі («*От приїду — окрутимось!*» — образливо-весело горлав у трубку, коли вона таки зуміла додзвонитись — по тій страшній кембриджській зимі, як повільно, з тижня на тиждень вимерзала, вмерзала в непролазні сніги, витікаючи з неї, наче пасока з уміло прохромленого тіла, її любов, аж скупчилася в останній вогненній точці: тільки б він був живий! — і, потрапивши-таки, через океан, через гирилицю спільних знайомих, нанипати якийсь контактний номер, і почувши знайомий голос, що воркотів безсоромним задоволенням: *Шалено радий чути вас, пані*», — вибухла, як фурія, трохи не матом — а він, виявляється, був черговий раз розбився, акурат перед її від'їздом, звалився вночі зі сходів на купу брухту, поламав ребра, досі ходить у корсеті, ой блін! — затулила рота долонею, зблиском згадавши свій, фізіологічно якийсь тяжко відразний, сон: мовби тримає в руках його гіпсове погруддя, котре страхітливо ворушить губами, та що ж це таке, справді! добре, буде тобі, чувак, виклик до Америки, буде стипендія, виставка в Нью-Йорку, музика — жінки — шампанське, все буде, — лиш оте «окрутимось» порнуло, наче, наглим звиском, соло на пилці серед оперової увертюри: не те, не те — не ті слова!). Скрипочка, котик, вазоник, птичка, обручка — *«це в них любов»*, і шкіц, здалось їй, таки випромінював, хай і млявенько, дещицю якого-не-якого тепла (в остаточному вигляді, на полотні, написаному вже по розриві, воно цілком звітрилось — постіль із жінкою опинилася в ядучо-жовтій пустелі, і коли картина простояла ніч у «бейсменті» в бідолашного Марка, вкінець забембаного цими психованими українськими ґеніями, то на ранок на ній знайшли здохлого павука — от і було наліпити його на полотно, десь між котиком і птичкою, саме його там і бракувало!). По кількох тижнях, одначе, постав другий шкіц — та сама дама, в дзеркально протилежній позиції, простяглася на велетенському, до білого обгризеному маслакові: *Це її останній мужчина*, — прокоментував лиховісно, — *вона його з'їла*». В кольорі тло вийшло чорне, кістка проблимувала з нього недужною фосфоричною блідістю, а жінка мала здиблене сторч, мов невидимим пилососом підняте, пожежно-руде волосся. Такий собі диптих. Історія одного кохання, так би мовити. «*Цей наш роман*», — колись, удома ще, ввернула вона мимобіжно, і він, не підводячи на неї втупленого перед себе погляду, твердо похитав головою: «*Це не роман. Це щось інше*».

Леді й джентльмени, я вже бачу той знуджений вираз, що малюється на ваших обличчях, ви вже проставили подумки діагноз, severe psychological problems[30] з обох сторін — націонал-мазохістка (хоча з таким діагнозом ви, напевно, не знайомі...)

30 Поважні психічні проблеми.

й аутичний маніяк (тут простіше, бо, крім суто комунікативних негараздів, неконтактности отої, чи як воно там зветься, можна б випімнути й дрібніші, клінічно промовистіші симптоми — приміром, його повну неспроможність бодай на мить вдержати в голові телефонний номер перш ніж записати, і особливо характерне, дивно курлапе письмо — несподівані пропуски літер, а то враз посеред речення слово з великої, або заблукале з сусідніх абеток «э» чи «ј», мовби на те, щоб рядок краще стулявся графічно, — нехороші речі, тривожні, а коли ще згадати оті його підозрілі мігрені, од яких, хваливсь, непритомнів, бувало, то й геть кепська картина складається), — що ж тут заперечиш, це гарне, похапне слівце, — problems, воно означає і математичну задачку, і рак грудей, і втрату любови, в кожному випадку десь завше існує хтось, спроможний зарадити, професор, лікар, психоаналітик, — якщо, звичайно, маєте чим заплатити, а якщо не маєте, то вже якось поувихайтеся, нашкребіть по засіках борошенця, нічого не вдієш, життя — штука коштовна: оно Розі, Маркова дружина, сьомий рік поспіль вчащає до психоаналітика, два сеанси на тиждень, чого сердега Марк, кроткий гладкий школяр побільшеного формату, не бувши навіть повним професором, оплатити, звісно, негоден, так що від часу до часу, кількамісячними нападами, Розі — сорокарічна дівчинка, мати дорослої дочки, і така ж маленька, худенька, як горобчик (крутозадий горобчик із відьмацьки зрослими на переніссі бровами), незмінно чи то перестуджена, чи перегріта на сонці, чи принаймні перевтомлена (рука на чолі, як у колгоспної жниці, зібгана мокра грудочка «Клінексу» коло носа), змушена підшукувати собі якусь працю, і знаходить, і щось там робить місяць, і два, або навіть три, — і все на те, аби мати змогу й далі двічі на тиждень лягати на ту саму канапку й оповідати комусь, хто її слухає, яка вона нещаслива, — на шостий рік вони з Марком перестали трахатися, і це очевидне зрушення: тепер обоє скрегочуть зубами од абстиненції, сварки спалахують з голодним тріском, як добре підсушений хмиз, на кожний словесний доторк, і, схоже, доведеться збільшити число сеансів: problems є problems, і суспільство велить їх розв'язувати, згідно з чотирма арифметичними діями: дано А, дано В, їх можна додавати, множити, ділити, переставляти місцями, і все то в надії добути якусь третю величину, всепоглинаюче заняття! — десь у кінці задачника міститься відповідь, набрана петитом, маймо терпець, коли-небудь нам її покажуть. Коли-небудь кожен із нас прочитає свою відповідь — правда, будь-що змінити буде тоді вже пізно.

Леді й джентльмени, problems — це те, на розв'язок чого існують правила. Але якраз правил ми й не знаємо, знаємо тільки чотири арифметичні дії, і сунемося з ними, пихаті недоуки, в провальні печери невідомих і гаданих величин, і ґрунт випорскує нам з-під стіп, і луна гоготить обвалом, і в тому гуркоті, дослухавшись, можна б вловити виляски чийогось — це ж чийого, ану вгадайте? — реготу, — і пекучий жах поймає, коли нога зависає над порожнечею, звідки невидними випарами повільно куриться та спустошлива, висисаюча до млости в кістках *тоска*, котру росіяни звуть *смертною*: а це ж бо й є — вхід до пекла, пані й панове, ласкаво просимо, він завжди відкритий, що ж ви харапудитеся, ви ж — *сюди* спішилися?..

«*Я завжди хотів одного — реалізуватися*». Так він казав — і казав щиру правду. «*Понюхай, от понюхай, як пахне, — ходи сюди, а-ах!*» — нахилявся, хтиво сапаючи ніздрями, над пеналом свіжопридбаних фарб, екстатично примикав повіки (яка розкіш ці американські крамниці, чого тут тільки нема, ах суки, глянь, глянь! — скрадливо голубив пучкою шовковистий аркуш китайського рисового паперу, скільки це коштує? ні фіга собі! — ох, яка губочка, помацай, вона ж жива! — і полотна вже натягнені продаються, ну блін ваще, а це що, біли-ла? скільки? задавляться, падли, — все, ходім звідси, — і раптом різко гальмував на місці, закидаючи голову назад, з мукою невтоленної жаги вхлипуючи повітря: чуєш, як пахне?), — їй подобалася ця хижа змисловість, дарма що не на неї скерована, дарма що їй з того перепадали хіба послідки: вона так само змислово любила слово — насамперед на звук, але звук щільним неводом волік за собою фактуру, консистенцію, запах і, ясна річ, колір також: кольором наділені були не тільки поодинчі слова, особливо вчувався він при переході з одної мови на іншу, — кожна-бо мала свій, мінливо-ряхтючий, *основний тон* випромінювання: італійська — електричний фіолет, ультрамарин, десь такий світловий ефект, як коли б червоне вино могло зробитися синім, польська шамшіла терпкою, оскомною од шиплячого тертя молодою зеленню, англійська побулькувала, просвічуючи навиліт чимось подібним до ніжно-золотавого курячого бульйону, причому в Штатах водянистіше, в британському варіанті інтенсивніше, смолисто-тягучіше — ситніше; звісно, рідна була найпоживніша, найцілющіша для змислів: чорнобривцевий оксамит, ні, радше вишневий (сік в устах)? русявий (запах волосся)?.. так завжди — іно станеш приглядатися зблизька, розсипається, дробиться — не збереш, голодувала вона без неї тяжко, просто фізично: мов на безводді абощо, почути б — живої, щирої, щоб інтонацією отою співучою, наче струмок жебонить, коли зоддалеки наслухати, хлюпнуло — їй-бо, піддужчала б! — в тій хвилині він згадав, без усмішки, як колись, класі в п'ятому, сидячи на уроці української мови, тайкома нюхав фарби, сховані під партою, а вчителька, підскочивши, швиргонула ними, аж зі стуком розлетілися по проходу, — ну певно ж, тільки вчителька української мови здатна щось такого встругнути, чогось вони, мов на підбір, усюди — найтупіші, найзлобніші бабери, оскаженіло ревні служаки, достоту сержанти-хохли в совєцькій армії, — *ти не думаєш, що тут комплекс національної неповноцінності грає на всю?..* Так вони розмовляли — коли ще розмовляли, бо розкривався — ділився чимось із себе-внутрішнього — він навзагал помалу, рипуче: не звик, якісь там дверцята в ньому да-авно, відай, позаклинювало, що й завіси ржею побралися, — Господи, що ж то за шлюб у хлопа був, га?.. Для чужих, а значить для всіх, крім, може, одного-двох товаришів (спільних друзів у них було — тьма, і вона доволі хутко впевнилася, що жоден з-посеред того гурта, навіть недурні хлопи з кільканадцятилітнім стажем приязні, його, властиво, не так щоб і знали, він їх знав: *бачив!* — куди глибше, пронизливіше, але водночас і якось нещадніше, за перемиванням дружніх кісточок, зрештою для кожної пари насущно-доконечним, — так-бо заселяється, залюднюється нововитворений *світ двох*, у їхньому випадку даний до рук майже готовим, вже-семиденним, — він прикро разив її тим, як безжально розкидав навсібіч оцінки: Ікс «скаче по верхах», Ігрек «погаслий вулканчик», Зет «женився з тою здоровенною дівкою, бо шукав мами», — мов осикові кілки вгороджував людям у груди: кріпив, забивав сплеча, без натяку на співучасть, себто чуттями своїми до їхніх життів, властиво, не дотикався, і коли й до неї вивернувся тою ж стороною, преспокійно рубонувши на її як-же-ж-мені-жити-далі: «*Я в тобі бачу здатність до виживання в будь-яких ситуаціях*», — вона з місця цю здатність і продемонструвала: ввібравши не боляче-відчужений тон, а голий смисл сказаного: хлоп, нівроку, і розумний, і тертий, раз так каже, мо', й правда — виживу?) — отож для чужих він шмарувався назверх — непропускним, дуже, правда, несерійного виробу трьопом, щедро присмаченими пря+ нуватою іронією фрашками-придабашками, але її цим не здурив би, вона також мала власну, го, ще й як вироблену, та як пластично (щоб не сказати сексуально!) пристаючу мовну машкару, і коли він спробував укритись за своєю, воліла ліпше — ні, чувак, грати, так по-чесному! — розпороти те пап'є-маше ножем: тоді й повалили істерики, доба за добою, ніж вищербився, аж до лікарні впору лягати, але й хлопа викришила — не приведи Господь: як так, то й так, не мені одній розплачуватися! Тьху ти, паскудство яке... «*Знаєш, що є твій уславлений герметизм?*» — бо він іменував це герметизмом, підводив під це діло теоретичну базу, мислитель, блін, знайшовся! концептуаліст! — «*Ну, і що ж? Валяй, нарізай, тільки в двох словах*», — «*Будь ласка, можу і в двох: кам'яне яйце!*» — «*Гарно*, — нишкнув на мить, направду діткнутий: — *але ж — пописане таке?..*»

«Випручуйся, жінко вербова. Ловись за пові-тря. / Корінням вглибай крізь піски до щирця, до мокви. / ГУЛАГ — це коли забивають порож-ню півлітру / Тобі поміж ноги — по чім перехо-дять на "Ви". Ми всі — таборові. Сто років три-вать цьому спадку. / Шукаєм любови — знаходим судомні корчі. / ГУЛАГ — це коли ти голосиш: "Мій смутку, мій падку!" — / Й нема кому втямить, в якій це ти мові кричиш...» Так бубонить вона до себе (от тільки — корчі чи ко́рчі? заникає мова, зани-кає, і не пудріть нам мізків «літературою в екзи-лі»!), — волочачи своє непослушне, нелюблене тіло вулицями чужого американського міста, в якому не має друзів, жодної душі, а на факультеті нале-житься всміхатись і на всі «How are you doing?» від-повідати «Fine»[31], — це ще одне з арифметичних пра-вил, хоч яке там у лиха «файн», де воно є, те «файн», і хто його бачив, — на одному з факультетських при-йнять статечна й урівноважена товстушка Кріс, ад-міністративний ґеній, мама восьмилітній дівчинці й мужеві — вічному студенту (тижнями живляться картоплею, благо в «Джайнт Іґл» якраз на неї знижка, дев'яносто дев'ять центів за чотирифунтовий па-кет), по третьому (одноразовому) кубкові дармового вина, розшарівшись і закуривши, зізналася — по-несло жінку, — що має рак грудей, от уже п'ятий рік ходить на опромінювання, а їй же щойно сорок

31   Як ся маєте? — Добре.

перший, а Елен, завжди прудкій і звинній, електрично накрученій збудженим сміхом, у шортах, у відкритій літній сукенці зі сповзаючою з плеча бретелькою, в чорній вузькій спідниці з розпіркою до клуба, у щокрок підстрибуючій пушистій хмарі розіскреного темно-золотого волосся, — так тій невдовзі полтинник, розлученій і бездітній, спазматично вчепленій у безрозмірну (fits all ages![32]) позицію sexy lady[33], з якої потік часу невблаганно її вимиває, виштовхує в спину, хоч як вона глушить себе роботою, аби цього не помічати, — розмахуючи вічною цигаркою, як панотець кадилом, життєрадісно верещить, що обожнює, просто обожнює візити до гінеколога — щоразу кінчає в кріслі, і слухачі посміюються, відлунням її запалу, здорово, молодець, вона класна, Елен, кльова чувіха, як сказав би той чоловік, — може, тільки тро-ошечки задокладно оповідає про себе: про те, як спізнювалась на лекцію, а авто не заводилась, і як мусила вискакувати на вулицю й голосувати, ні-ні, навіть спідниці не задирала, і який милий попався бізнесмен за кермом, і що вона йому сказала, і як вони обмінялись візитками, — весь цей шлак, який вечорами спускається в родині, бо це *там* ми, дівоньки, оповідаємо, в любовно-чуло звернені до нас лиця, що трапилося за день, а чужим — чужим треба *вміти*

32 Для всякого віку.

33 Звабливої жінки.

таке накручувати, аби їх не знудити, треба вміти завинути весь той послід, як цукерка, в сухозлотяний фантик гумористичної новелетки, пошарудіти ним знадливо — глядь, і проковтнули, і вважається, буцім повеселила публіку, — тут Елен трошки пробуксовує, тут усе-таки митцем, чи, як сказала б діаспора, мисткинею, треба бути, але поза тим — поза тим тримається пречудово, бурхливо й темпераментно витанцьовуючи на відкритій платформі поїзда, котрий мчить її по колії до межової риси того дня, в якому нарешті — осяде, зсутулиться, погасне, ніби викрутять із неї остаточно безужиткові лампочки, і, може, також зачастить до психоаналітика, як шістдесятилітня Каті з сусіднього відділу, котру рік як покинув чоловік, і тепер її жодним способом не випхати на пенсію, а може, нищечком спиватиметься в себе в домі, займатиметься медитацією або заведе пса — самозрозуміло, породистого. І є ще Алекс, підстаркуватий сербський поет, що роками валасається по світі, перебираючись з університету в університет, про себе він з гідністю каже: «Я — югослав», начебто в такий спосіб, як Божим словом, скасовує війну і все, що прийшло разом з нею, його манера починати розмову — «От коли я був у Японії...», «Коли я виступав на конференції в Прадо, і кардинал був запрошений...», «Коли я жив у Лондоні, в околиці, мені там надали цілу віллу...» — до смішного нагадує похваляння колишніх «виїздних» совків перед заздро пригніченою аудиторією свідомих того, що самим їм повік-віку «туди» не вирватись, проте Алекс не чує себе збоку, як і взагалі нічого збоку не бачить і не чує, цілковито поглинутий безугавно виголошуваним ентузіастичним панегіриком самому собі, — своїм книжкам, перекладеним англійською, іспанською, китайською, альфа-центаврівською, своїм інтерв'ю й публікаціям у таких-то виданнях під таким-то роком, тим, скільки йому платить за сторінку «The World» і скільки обіцяє платити «New Yorker», — цей монолог у ньому, відай, не припиняється ні на мить і від часу до часу сягає точки, на якій виникає потреба в парі вух, — тоді Алекс телефонує, і заїздить по неї своєю «Тойотою» (щоразу незмінно згадуючи, що вдома, в Бєлграді, мав «Мерседеса»), і вони їдуть куди-небудь на дрінка, два слов'янські поети в чужій країні, ая, і нехай житом-пшеницею, як золотом, покрита, не розмежованою останеться навіки од Атлантики до Пасіфіку слав'янськая земля, спати з ним вона не збирається, та й надто він захоплений власним усним життєписом, щоб як слід до неї взятися, але вірші його, котрих наволік їй скільки стало рук, у тому числі в китайських перекладах, таки небездарні, — здебільшого, правда, все ж «снепшоти», подорожні замальовки, сніданок туриста, проте слив́е в кожному сюд-туд та й проблимне живий рядок, і вже ніби, глядь, і цілий вірш стулився докупи: рідкувато, але іскрить, і одного вечора вона питається в Алекса, а як же він дає собі раду з мовою, — роками лиш од дружини й чуючи сербську, чи не відчував обміління запасів, — і вперше бачить на його обличчі понуро навовкулачений вираз: є таке діло, визнає неохоче, ніби змушений звірятися зі старанно укритого фізичного ґанджу, — тим-то й згодився на працю в еміграційній газеті, — ага, це приблизно так, якби вона підрядилась поправляти мову в нью-йоркській «Свободі»: Дня 31-го серпня 1994 року на заклик Всевишнього Творця неба і землі відійшла у Всесвіт (у Всесвіт! на заклик! просто космонавтка, чи то пак, астронавтка...), залишивши невимовний смуток і жаль (цебто, *без смутку і жалю?*) наша найдорожча, незабутня, улюблена дружина, тета, кузинка і братова (уф, дайте дух перевести!). Не в силі подякувати всім особисто за так численні вияви співчуття: телефонічні, писемні і особисті (а синтаксис! синтаксис, перепрошую, синтакса!), тому цією дорогою (стежиною! путівцем! хайвеєм!) висловлюю всім приятелям і знайомим, та родині мою найщирішу подяку (а тепер спробуй-но це все перепиши, щоб був якийсь глузд!), — і тоді вона розуміє, що кайфувати од себе, по-щенячому тішитись кожною ознакою власної присутности в світі, — це так само один із способів витворювати в ньому дім, надто коли чуєшся невідвзаємнений ні своєю мовою, ні країною, і що до цього також, либонь, приходять не зразу, — і вже не дивується, коли після того вечора Алекс перестає їй дзвонити — правдоподібно, назавжди. Боженьку мій, і на все то треба вміння — бути хворим, бути самотнім, бути бездомним: все то мистецтва, і кожне вимагає хисту й труда. Fine, будемо вчитися.

Чхати йому було на її вірші — як і на все взагалі, і завжди було чхати, його вів власний, ні на що не вважаючий інстинкт дару, і, знаючи темним, глевким знаттям — родовим і фамільним, котре тягала в собі змалку проковтнутою каменюкою і котре, по правді, й гнало її вперед, вперед, вперед! — божевільним страхом і собі впасти в ряд, *не збутись*, скапцаніти, як усі в попередньому поколінні, і в позапопередньому, і в поколінні перед позапопереднім (тим узагалі привелося — бодай не згадувати!), цілу молодість вона рвалася геть з льоху, де ядушно смерділо напіврозкладеними талантами, догниваючими в безруху життями, пріллю і цвіллю, немитим сопухом марних зусиль: українською історією, — знаючи, кревним отим знаттям, *через які* ляди проламуючись, виносив його, пручи як танк, інстинкт дару на собі — нагору (цілий час — нагору: останні роботи були й найсильніші, жахтіли світлом уже нетутешнім, як зоряне небо вночі над пустелею, — а на її пам'яті лава за лавою бучно висвячених у генії подавальників надій покотом сипалися з ніг у вторований рівчак, тільки-но вичерпавши молодість!), — вона, котру млості змагали на вид зачустраних рідних алкашів у проплішинах залишкової ґеніальности (кому цікаво, ось адреси: «Еней» у Києві, «Червона калина» у Львові, вхід вільний, годувати, а надто ж поїти тварин не то дозволяється, а й заохочується), — відразу проявила з ним — першим на віку! — готовність поступатися: вперше-бо мала до діла з *мужчиною-переможцем*. Українець — і переможець: чудасія, їй-бо, в сні б не приснилося, — чого мусили вартувати йому самі тільки сімдесяті — вісімдесяті у провінційному містечку, вважай, у підпіллі, з того містечка, вхопивши попід пахи її семилітню, колись давно втікали від каґебістської облави до Києва її батьки, батька, котрий одтрубив своїх шість років ще «сталінських», всенький вік ганяв, як білку, в обручі жаху комплекс «повторника» — другого арешту ніхто не витримував, навіть якщо виживали, ламалися всі, кожен на свій спосіб, — чи не ті самі бистрі, серійно стрижені, всі як на підбір чорняві, мальчики в шелестких плащах, котрих вона — кепсько сфокусованою, розмитою дитячою пам'яттю — зазнімкувала собі зі спин, як порпалися в навалених долі кучугурах книжок серед разом оголених стін її першого в житті, та ні, єдиного в житті дому, — потім, дослужившись до більших зірок, смертною хваткою вчепилися були в м'ятежного художника? — ех, братіку мій, і побратимство ж наше довбане — все'дно що з одного табору корєша, скільки ж, мать його за лапу, справді років тривать цьому спадку, і як його з себе викров'янити, вихаркати — як? — друзі-кияни, розм'якнувши за чаркою, згадували, як познайомилися з ним у вісімдесят другому: приїхали у відрядження, впали на каву до місцевої «склянки», підступився провінціал зашуганий: «Хлопці, ви не художники? Тут моя майстерня поруч, ходіть, я вам свої роботи покажу, і кава в мене є», — а, ну хіба що кава, давай, чувак, наливай, — а з чого взяв, ніби ми художники (були — писателі, актьори, вопшем, тоже набрід порядошний)? — «А — бороди у вас», — отуди к бісу, на облік їх там тоді брали в тій норі за ношеніє борід, чи як?! Так крізь ґрати у вікні вагонзаку протискалося руку з запискою, металося за вітром: ачей хто незлий нагледить, підбере, пішле за адресою — визирання вслід полопотілому папірцеві, голодна надія в очах: не художники, ні?.. А до майстерні — бочком, задами, кружними вуличками: «Не треба, щоб вас зі мною бачили...» Вітчизна і дім, атож: Україна, вісімдесят другий рік. І ні тобі британських кореспондентів, ні листів на підтримку від провідних діячів літератури й мистецтва — це ж хто тоді Нобелівку був дістав, Маркес, здається? (Добрий письменник, холера, а що нібито, подейкували, щирий друг Радянського Союзу, то — who cares?[34]) Ту оповідку, котра вмить учинила його — рідним, болісно відчутним зсередини тих непроглядних років (над якими — звитяжив же, взяв гору: намалювавши все, що намалював! — поки інші спивались, вішались, чи, як її батько, годинами курили, стоячи у вікні, втупившись у мур

34   Кого це обходить?

будинку навпроти й наживаючи рак од безвиході!),—
вона почула ще до того, як, на третій день фестива-
лю, він, під якимось ледачим претекстом, вдерся
до неї в готельний номер, розколошкавши зі сну,—
все, все від початку було замішано на колошканні,
на ґвалтовному вибиванні із звичного фізичного
режиму, на ослаблених змислах, на пливучих, мов
звук на осілих батарейках, рефлексах! — і стояв у тіс-
ному, як ліфт, передпокоїку, зі схрещеними на грудях
руками, підпираючи двері, по-котячи вимовно світя-
чи в неї очима, і її нагло пойняло — стисла зуби, аби
не дзиґотали,— напливом чудного, не еротичного
навіть, ні! — *якогось іншого*, до млости тривожного
збудження — мов перед операцією або екзаменом:
щось із гулом клубилося, насуваючись на неї, щось
необорне, темне й грізне, щось самочинне і тому
справжнє, ще можна було ухилитись, пригнути голо-
ву, і хай би пронеслося мимо, але в ній не було страху,
була — уже ввімкнена, піднесено-пружна готовність
негайно рвонути назустріч життю, скоро тільки воно
само припускає з засидженого місця: справжнє — на-
года рідкісна, це те, що більше за тебе, до чого мусиш
доростати, виплигуючи зі шкіри, скидаючи її позад
себе, сім шкір, дев'ять шкір, аби тільки не зупиня-
тись! — добро, приймаю, очі в очі! — *«До вечора?»* —
«До вечора», — *«Поїдемо тоді на каву?»* — все знялося
з місця, вихор кушпелив листям по осінніх дорогах,
і містечко, в якому вона народилася і яке цілий час
десь на відстані, ніби на дні озера, берегло в собі

схованим її раннє, ще спросонне дитинство, повертало тепер його назад — у нестерпно ніжній, вологій підсвітці, це, власне, почалося з першого дня — прибутний, підземний гул розбудженої пам'яти, впізнавання знайомих вуличок: ах, *ось вони які!* — вітрина аптеки на розі, на тому ж місці, що й двадцять п'ять років тому, — спинилась як урита, задихнувшись од сяйнулих сліз: тут ставили міську ялинку, і вона фотографувалась тоді з Дідом Морозом, п'ятирічна дівчинка в оцупкуватій шубці, запах мандаринок і бузкового надвечірнього снігу, його блиск під ліхтарнями — а на тому боці, трохи далі, був, здається, кінотеатр (ранковий сеанс — із татом за руку — щось документальне, про мавпочок)? — А він і зараз там є, відказували їй з вимушеними примильними усміхами, з якими належить розчулюватися на вид чужого дитинства, і тільки він, кого потягнула, за руку, за собою — туди: *«Поїхали до парку?»* — *«Куди скажете, пані, я весь ваш»* (старовинний парк над річкою, наново, як промиті, виплилі з багаторічного туману кам'яні сходи, облущена балюстрада, ах, *от звідки це в моїх снах!* — і, о Боже коханий, ця струмуюча барва, це повільне, підводне світло, холоднувате, блакитнаво-зелене, в якому застигли, вглиб алеї, дерева й лавочки, — таж це ним світяться мої кращі, найбільш *мої* вірші, — отже, також *звідси?*), — *«Тут десь був тоді березовий місток»*, — *«Він і зараз є — ходімо, покажу»*, — тільки він один не вдавав призвоїтого розчулення, взагалі нічого не вдавав, а мовчки, зосереджено й затято, думаючи й підмічаючи своє, пролапувався крізь її стан, як потім, ночами, крізь шийку матки, щоб нарешті видихнути: га, ось вона! — стояли над нерухомим плесом, встеленим ряскою кольору патини, «*Дивись*, — хитнув головою, — *який дзен*», — і раптом боляче стис її за плечі: «*Слухай! Я люблю тебе і твій місток. А тобі — слабо?*» — «*Що саме?*» — «*Слабо сказати — я люблю тебе і твій дзен? Слабо — бо я для тебе людина з пейзажу: з* цього *пейзажу*», — отоді-то й було спитати: а я — для тебе? Бо вона направду впустила його у свій пейзаж — у кожен із своїх пейзажів, послідовно, крок за кроком, кінчаючи пенсільванським, і він, скерувавшись услід за нею («*Остання моя любов*», — хвалився приятелям: їй переказували, — а з неї випорскували рядки, як бульбашки повітря з легень потопельника: «*Осінь. Раннє смеркання. / Твань — і кроки, як ґумові… / Ця любов — не остання, / Ти даремно так думаєш*»), — пройшов крізь її територію, мов татарська орда, — зі свистом і гиком випікши майже з цілого обширу пам'яти, з усіх її головних осідків ту живильну, таємничо-мережку любовну *вологість*, котру душа з року в рік назбирує в собі про запас: підґрунтові води, ненастанне й невловне на слух всьорбування-цмакання, чіпке запускання ворсистих корінців у темну глибину передсвідомости, в коридор, що зненацька відкривається — в рознятий простір спогаду: там завмирає дівчинка серед осінньої алеї, вперше зачувши, як стугонить за туманом далекий обрій, як світ кличе її, обіцяючи їй *дорогу*, от з тої дівчинки все й починається, і що б не було потім з тобою в житті, — воно цільне, воно держиться при купі доти, доки ти віриш тій дівчинці, доки вловлюєш у собі почутий тоді нею поклик, — бо всі так звані ідеали юности — то пусте, леді й джентльмени, пані й панове, forget it[35], вони приносяться ззовні, тим-то рідко хто й потрапляє зберегти їм вірність, ну й грець із ними, невелика втрата, утріть шмарклі, всі пожовані-пом'яті літами бородаті ліваки-шістдесятники, колишні хіппі, що так і не стяглися на власний будиночок у сабербії з квітучим городчиком на задньому дворі та гараж із двома автами, а також усі ті, що стяглися, і зголили бороди, і непомітно для себе вкрились, як горнята поливою, ґлянсуватим, ситним полиском остаточно зупиненого — в спокої й достатку — життя, і всі, колись кидані у «воронки», на струс мозку духопелені по ментарнях і підвориттях вкраїнські бунтарі, а нинішні лауреати державних премій із пухкими од спецбуфетівського жиру рученятами й добротливо, по-хазяйськи вгодованими, ох якими ж промовистими спинами, вбганими в корсети блюмінгдейлівських піджаків, — хай не сниться вам ваша прекрасна юність, навіть якби всякі там невдахи витикали вам нею очі, дурниця то все, щиро кажу, — злуда, омана: тільки в дитинстві є правда, тільки ним і варт міряти своє життя,

35   Забудьте, викиньте з голови.

і якщо ви зуміли не затоптати в собі ту дівчинку (того хлопчика — що то стояв із патичком на вигоні, вражений жаскою, бо непід'ємною, над людські сили величною вогнянобарвною симфонією заходу), — значить, ваше життя не звихнулось, прокривуляло, хай як там трудно й болюче, за своїм власним руслом, значить, *збулося*, з чим вас і вітаю, — і любов, леді й джентльмени, справдешня любов — вона завжди зряча на схованого в іншому (іншій) хлопчика (і дівчинку: візьми мене — то завжди: візьми мене з моїм дитинством, «*Ось сюди,* — показувала, завмираючи пересохлим голосом, пригнувшись на передньому сидінні, як припалий до гриви вершник, — *тут поворот у двір, ось цей будинок*», — була глупа ніч, третя ранку абощо, серед порожньої вулиці горіла тільки ліхтарня на розі, — він в'їхав під арку, розвернув автомобіля, заглушив двигун, «*Ось ті вікна, бачиш, де балкон, на третьому поверсі? Оце там ми жили*», — в цю мить він і навалився на неї, з довготамованим стогоном вп'явся в уста, зашастав руками під светром, трохи заґвалтовно, але як сталось, так сталось, «*Поїхали до тебе... В майстерню...*» — десь він і зараз там є, той двір, і той балкон, і арка, і зацілілий з-перед тридцяти років старий каштан на пагорку — от тільки дівчинки, що вийшла колись з того двору в нагуслий таємним гулом вологий туман, — нема в ньому більше). Неправда, ти ще жива, вмовляє вона себе, цілий час на всі боки промняцкуючи пам'ять, наче вправний хірург — витягнуте з-під завалу тіло: тут — відчуваєте, коли натиснути? а тут? — промельками, посмиками залишкових відрухів щось часами нагадує про себе, — наприклад, учора, вийшовши на вулицю, гостро — блискавичним поздовжнім розтином углиб років — упізнала запах осіннього листя, байдуже, як звуться ці дерева — платани, канадські клени, — запах був той самий, що вдома, вогкий, щемно-гіркавий дух *ще живого* (останні дні — живого) зела: сонце в високих проріджених кронах, початок навчального року, дорога до школи через наскрізно визолочений світлом парк, і зграйка підлітків, біліючи вітрильно розмаяними футболками, з не до речі квакливо артикульованим — англійським! — сміхом протупотіла наперейми, мигнули, як за склом, змружені проти сонця юні вії, пшенична воскова спілість оголених ший і розколиханих ходою рук, мигнула думка: ще вас, зайчата, *не било*, — а може, хтозна, може, когось і обмине? — і зупинилась по цей бік шиби, тамуючи ридання, що підступилось під горло: Господи, та невже ж усе скінчилося — справдилося все, обіцяне на світанку життя тим розлитим у просторі прибутним, стугонючим покликом, обвіяло — подмухом по волоссю, мазком по губах, так і не вивернувши до дна, не видобувши з неї головного?.. (як грізно рокотав був: «*Я тебе розірву!*» — підхопивши під коліна, натягаючи її на себе, — а у висліді й не скінчила ні разу: хіба, може, той живцем патраючий біль — теж один із способів кінчати?). «*В кінці осінньої дороги в'яне плоть, / І листя шамотить з мишиним шарудінням. / Оголюється обрій — і Господь / Стоїть поміж дерев у білому одінні...»* І що ж тепер, Господи? Що ж тепер?..

<u>«Господи, куди ж далі?»</u> — так було підписано шкіц, який вона підгледіла в його робочому альбомі, необачно залишеному на видноті: на самому вершечку, на гранчастому шпилі гори балансував на одній нозі голомозий чоловічок з небезпечно вигостреним, як у автора, обличчям (всі мальовані ним обличчя були умовні, і всі невловно-мінливо подібні між собою, мовби розбігались, як кола по воді, від потопленого оригіналу — так ніколи й не написаного автопортрета), — чоловічок обіруч держав драбину, наставлену в небо, і питався в Бога, куди ж далі, але небо над ним було порожнє. *«Я завжди хотів одного — реалізуватися».* Чудесний збіг, братіку, — я так само, тільки що це значить — реалізуватися? Колись — іще коханий, іще вияскравлений її любовним замилуванням, як свіжо відреставроване полотно: тверді, смарагдові спалахи в зорі, той нестерпний (о, до стогону!) профіль зі старовинної монети, сріблистий, ні, скорше алюмінієвого посвіту, йоржик (*«Дикобразик!»* — сміялася, гладячи, поривчасто втуляючи цю сухо, породисто виліплену голову собі між персів), суцільний

метал, камінь, обсидіан! — сидячи в неї в кухні, звісивши руки між колін і невідривно втупившись у кахляний візерунок на долівці (і того бахматого светра, в якому геть тонула його цупка, у вузлик стиснута постать, вона також полюбила), він розповів їй про свого батька, — дід старівся самотою десь у селі на Поділлі, давай провідаємо його — вдвох, поїдеш зі мною? (і їй зараз же уявилось, як він гордо каже, хряпаючи дверцятами машини: «Тату, це моя жінка!» — те простолюдне «жінка» в устах українських мужчин завжди пороло їй слух, але тут — тут вона б не ґзилася, з усмішкою ступила б, як із журнальної обкладинки, у своєму шикарно просторому кармазиновому пальті од «Ліз Кларбон» і чорних, гармошкою, чобітках на височенних підборах, у розквашений дощами чорнозем — чи що там у них, глей? піски? — підводячи комір, тонкі музичні пальці з наманікюреними в тон пальту нігтями, гойдливі дармовиси арабських срібних сережок: *його* гордо демонстрований здобуток, остаточна перемога, якою справджене життя звітується перед своїм витоком) — молодість старого пройшла по концтаборах, німецьких і радянських, «*помиї хлебтав із корита*», — вимовив, ніби чиряка вичавлював: з хижим притиском і хворобливою приємністю бачити виприслий гнійний стрижень, — і докінчив неголосно, так і не підводячи зору: *Раби не повинні родити дітей*», — «*Що ти таке кажеш, як смієш, гріх!*» — «*Бо це вспадковується*», — «*Ні чорта* не вспадковується — хочеш сказати, що в тобі нема свободи?» — «Бажання вирватись — іще не свобода». Вирватись! — її потрясло це слово, так легко вийняте з її власного словника, ніби він загодя знав, на якій сторінці розкрити, — тим словом він *вивів на яв* і так потвердив, устійнив неомильність її родового інстинкту, що врубався тої першої ночі, *впізнавши*: милий мій, рідний, хлопчику маленький, іди до мене, в мене, я обтулю, закрию тебе собою, я народжу тебе заново, так, разом, віднині й до кінця, ну ясно ж, ми одружимось, та що там, ми вже одружилися, і в нас буде — син («*Родити тобі треба,* — задихнувшись одривався од її губів, не в змозі довше зносити цілування навстоячки: — *молока в тобі багато!*» — в тому його, кошмарнуватому якомусь, — хоч він, спасибі, щадив її перед подробицями, відбуваючись болісним жестом — долонями по лицю, як сухе вмивання: «*Ат — митарства...*» — шлюбі — в нього *був* син, уже дорослий, студент, і, казали, страшенно славний пацан, від нього взагалі мали родитися *хлопці*, такі речі вона визначала з місця, блискавичним наскрізним знаттям, від дівчини ще — з кожним мужчиною, геть і до всякої койки: хто з цим-от буде, син чи дочка, — чия стать дужча), — біляве́ньке, з курчачо-пушистим волоссям хлоп'ятко, що вже кілька разів являлося їй у снах, — покрутившись у безповітряному просторі, потяглося, вхлипнуте яросною силою її пориву, — на нього: буде класний хлопчисько, як золото (і все строкате сум'яття прочитаних ними книг, його картин, її фортепіано, Боже, як же *багато* всього нажитого й передуманого! — пірвавшись у барвний вихор, злившись докупи, вмент утворило в уяві — *гніздо*, стало структурою — завершено-круглою, з живим тяжиком в осерді: зовсім непогано народитися в такому світі, і ми — ми зуміємо його захистити, правда? йолки-палки, та скільки нас узагалі є, тої нещасної, через силу, впоперек історії затриманої інтелігенції вкраїнської, — горсточка, й та розпорошена: вимираючий вид, повигиблі клани, нам би розмножуватись шалено й повсякчас, кохаючись де лиш можна, з оргіастичною ненатлістю зливаючись в єдине, зойкаюче-стогнуче щастям кублище рук і ніг, встеляючи собою, заселяючи наново цю радіоактивну землю! — син, от він-то нарешті звільнений буде від того спадку, за який цілу молодість розплачувалися ми — так тяжко, що вже наче й сповна), — лютий, яркий інстинкт *породи*, раз усвідомлений нею на ввесь обшир духа, заповнив її цілком і попер навмання, все на шляху змітаючи, — що там розгепане авто, що там відстані — між містами, а хоч би й між континентами! — що там пожежа з повістками й ментівськими протоколами (а яка дивна була пожежа, слідство так нічого й не доглупалося, на зимовій дачі, куди приїхали компанією, він розкладав над ранок вогонь у каміні, то він наполіг на шашликах, змотався автом, тоді ще цілим, удосвіта на ринок, купив м'яса, — їй запам'яталось, як ніс наперед себе тяжкого, одутого пластикового пакета в кров'яних патьоках: якось недобре, мутно діяло на неї те безсоння — засушливий згірклий посмак у роті, відчуття немитости й бруду під нігтями, гадалось тоді — від утоми, перепою-перекуру, а потім, у нормальних уже, та що нормальних, у, вважай, кльових, зо всіма американськими вигодами, умовах, показалося — нніт, не від того, — відчуття тим більш неясне, що він же був такий клінічний чистюк, щоранку по годині плюскотався під душем, і то не рахуючи гоління, аж її брала зла цікавість: що здоровий хлоп може там годину робити, онанує, чи що? його власного запаху вона так ніколи й не занюшила: тютюн — так, дезик — так, але як, чорт забирай, пахне мужчина, з яким прецінь два місяці, пардон за високий стиль, ділилося стіл і ложе? — навіть сперма його, здавалось, не мала запаху, може, тим, що, іно скінчивши, зривався й гнав до ванни як ошпарений, слухай, мені що — за тобою бігти, чи як?«*То все було — блуд і бруд: / Промивка підземних руд / Од давніх, стійких отрут, / По чім залишався — труп. / Відмитий і непахкий, / Розкинувши дві руки, / Немов окоренки крил, / Лежав, мовчав і курив. / І я мовчала невлад, / І входив у мене — ад*», — це вона тепер таке пише, хоч на фіґ його таке й писати — функція хворого організму, не більше, а тоді — тоді крізь безсонну очманілість блищав тонко, з просинцем накрохмалений сніжок, на шибках сяли морозяні лисиці, була тиша, велика, аж наче всесвітня, тільки пошурхував надворі під кроками схвачений порошею падолист, пасмуги блідого сонця лежали на паркеті, коли вона вступила до зали, де він, присівши навпочіпки перед каміном, розкладав вогонь, підсовував наготовлені полінця, озвався, не повертаючи голови: «Чуєш? — з горища долинав химерний, ляскотючий звук: — *кран прорвало, треба буде майстра викликати*», — провела, з-за спини, рукою йому по потилиці — проти шерсти, ніби сподівалася викресати іскри, що його чинити з цею ворохобнею в собі, «*що мені робити з тобою?*», і тут — заледве встигла відступитися — влетів Лесик у куртці наопашки, вдарило крупним планом — танцюристо закрутився об'єктив: істерично-веселий жах з очей, рот, розчахнутий криком: «Люди! Втікайте, горить!» — хто — горить, що — горить, а вже були надворі, тупо стояли, позадиравши голови: ціла мансарда двигоніла, обнята густим, жовтяво підсвіченим димом, він бурхав у небо, і вже гоготів, вже *щось* наростало в ньому реготом, підносячись на повен зріст, з тріском проламуючись головою крізь покрівлю на волю, у-гу-гу-гуу, нарешті! — і вона знову, мигцем, подивувалася, що не чує в собі страху, що — відрубана, мов не з нею те все діється, — від сусідів бігла по доріжці окаряч молодиця, навіщось напинаючись на бігу чорною хусткою, хтось метнувся дзвонити, заскакали на узбіччі зору обличчя й постаті, зчинилася веремія, а вона бачила тільки його дивний, нетутешній якийсь, спокій, зведений до низького сріблястого неба профіль, руки в кишенях, згадала рядки з його листа, невдовзі перед тим одержаного: *«Звикаю до свого нового стану, але потребую ліків. Згоден на лікарню, тюрму, лоботомію»*, — щось тут було не те, і коли, по кількох годинах, як уже погасили, як відверещали, відблимали по снігу синюшними сполохами пожежки, а слідчий ще не приїхав, і компанія, вся ще в зашпорах збудженого сміху, кашлю, сякання — перший шок пересівся, й належалось відпружитися, — додавлювала заготовлену, було, під шашлик пляшку коньяку в сухому й такому ж притульному, після всього, фліґелі — вже мало що не родина, ох братці, ну ні фіґа собі, лини-но ще, кому лимончика, уф, кайф, здається, вставило, дайте хто цигарку, — і він зненацька поліз у сумку й витяг жменю бенгальських шпичаків: купив уранці на ринку, як їздив по м'ясо, думав, зізнався кротко, влаштувати невеличкий феєрверк, — вибух нервового реготу стряс фліґелем, аж шибки забряжчали: ну й ну, і влаштував, — як це тобі вдалося? ти хоч слідчому, чуєш, не показуй, — склав зморшки в усмішку, розвернувся до неї, підваживши коротким, кинджальним зблиском мішкуваті повіки: *«Може, ти хоч так мене запам'ятаєш»*, — того-бо ранку, перед пожежею, вона сказала йому, що їде до Америки. І нічого не встановило слідство, геть-таки нічогісінько, — просто вирвався звідкілясь дух вогню, ким? чим? випущений? — вирвавсь, і дев'ять місяців гнався за нею, вже по американських широтах, в кухні, надто поночі, як виходила перекурити, раз у раз зринав виразний сірчаний запах — чи то газ витікав? — сковорідки з гюрзячим шипінням плювались їй на ноги киплячою олією, опіки гоїлися кепсько, а вже при ньому, як прилетів-таки, повідкривалися, мов стиґми, прости Господи, — він сам заліплював їй пухирі на литках віддертою від яєшної шкаралущі плівою: *«Посидь так, хай підсохне»,* — і лишалась сидіти перед телевізором, покірно вклавши на coffee table[36] свої нерівно попідсмалювані сирі ковбаси, вже цілком визуті з усякого еротичного чару, — і врешті, останнього вечора перед тим, як мали, хвалити Бога, вибиратись із квартири, перетвореної за час їхнього співжиття на залютований бокс густо встояного, аж ніби *видимого* темно-бурого чаду, — куди, неясно, тимчасом у мотель, аби *якась* переміна, — тоді, на прощання, вогонь повернувся в своєму первісному вигляді: була сама, готувала в кухні вечерю, із уже звичним відчуттям до нудоти облягаючого стиску чекаючи на його поворот із майстерні, щось там обшкрібала, спиною до плити, і враз озирнулась, як од поштовху, — конфорка під каструлею палахтіла вже замалим не до стелі, і вже зароджувалось у полум'ї те саме зловтішне гоготіння, з яким цього разу була сам на сам: fire alarm[37] чомусь

36 Столик для кави.

37 Пожежна сиґналізація.

мовчав, як паралізований, але над тим вона застановилася щойно перегодом, а першої миті, машинально, не рознімаючи зціплених п'ястуків — у лівому потім виявила затиснуту цибулячу лушпайку, — ринулася збивати полум'я трапленим попідруч рушничком — воно ж, несите, зраділо, мов на це й чекало, рушничок зотлівав їй у руках, гейби плавився, швидко скручуючись почорнілими, спахаючими жаром краями, аж доки не здогадалася бурнути води — одну кварту, другу, третю, — засичало, розповзлося їдким смородом, стала серед кухні з обгорілою ганчіркою в опущених руках: ні, Господи, не витримаю, уже не витримаю! — і так справдився її сон — давній, минулорічний, задовго до знайомства їхнього побачений: деревцятко на роздоріжжі, трепетне й шурхотливе, хтось невидимий запалює під ним багаття, черконувши сірником, і от — мить! — деревце охоплене пожаром, котрий тут-таки й гасне, мовби на те лиш, щоб обглитати крону з листя, і там, де перед хвилею деревцятко мінилося світляною зеленню на тлі неба, стримить гіркий, зчорнілий кістяк. З чим вас, дєвушка, й поздравляю. *«Розпукнуте дерево в голім ряду — / Куди ж ти, дурненьке, спішило? / Ще й землю розкислу, безживно-руду / Пістрява трава не замшила, / Ще вітер весняний чаїться, як миш, / Під віттям, насторченим в мітли, — / А ти вже зітхаєш, а ти вже дрижиш / Клейким рябо-тинням на світлі! / Навспинячки тягнешся, бідне дитя, / З усіх своїх соків і нервів — / Аж чути, здається,*

як млосно хрустять / Сустави, за зиму завмерлі...» —
сперш був цей вірш, також недописаний — а слабо́
було дописати, до кінця додумати — слабо́? — потім
той сон, потім — усе, що було потім. Валяй тепер,
розкопирсуй углиб, шар за шаром, археологине ти
горопашна, — тільки жаліти себе не смій, ніщо-бо
не ослаблює так, як жалість до себе). Хто б оце ска-
зав — вірші, вони тільки передбачають, чи, чого до-
брого, *витворюють* нам майбутнє — викликаючи
з ройовиська схованих у ньому можливостей ту, ко-
тру *називають*? І якщо це справді так — якщо ми,
сліпі шаленці, самі програмуємо життя наперед,
раденькі, що дурненькі, — що так кльово написало-
ся! — робимо його таким, яким воно є, — то який же
це страшний дар, Господи, — наче бомба в руках
п'ятилітка, — і як його одмолити?

Хто (що) пише нами?

Господи, я боюсь. Я ніколи досі не боялась
по-справжньому — не зовнішніх обставин (то пусте,
з них-бо завше можна якось вибабратися), а себе
самої. Я боюся ввірятися власному хисту. Я більше
не вірю, що він — у *Твоїй* руці.

Зглянься наді мною. Ну будь ласка.

Вечорами вона втікає до бібліотеки — головно
на те, аби не лишатися в хаті, де розпач підстері-
гає її в западаючій тьмі, щоб накрити з головою

чорним мішком, — але й бібліотека не рятує: жодне з тих, більш або менш талановито виписаних і оправлених у фоліанти з постираними корінцями чужих життів, що тягнуться й тягнуться, ряд за рядом, від підлоги до стелі, багатоповерховими стелажами, поки вона намотує вздовж них кілометраж у пошуках нав'язаного собі самій тома, — наче на вселенському цвинтарі (сіре небо, безмежне, до небокраю, поле однакових сірих надгробків, і хоч знаєш, що під кожним зачаївся небіжчик, готовий, іно погукають, вихопитися наверх, прибравши живісіньку й повнокровну стать, але сама ця астрономічна кількість зводить нанівець будь-який смисл вибору когось одного: скількох із них, справді, ти потрапиш на своєму віку воскресити, і скільки таким робом воскрешених-прочитаних щось для тебе означали? все, що ти можеш — і це щонайбільше! — долучитись до їхніх монотонних лав ще одним малопримітним томиком, а вклеєні на форзацах бланки з чорнильними штампиками date due[38] безсторонньо реєструють абсурдність цілого цього заняття: згідно з ними, за двадцять років у Гарварді ти виявилася *п'ятою*, хто випозичав «Брифінг із сходження в пекло» Доріс Лессінґ — роман, який згадується в усіх літературних довідниках, і дійсно того вартий, — і *другою*, кого зацікавило польське видання Мілоша, — більшість же виповіджених

---

38 Термін повернення (книжки).

життів так і пилюжаться незапотребованими листами в номерних шухлядах під віконечком «До запитання»), — жодне з тих життів не має до неї стосунку, жодне не відповідає на єдине питання, котре їй ніяк не під силу обійти, ну ні з якого боку, хоч би куди смикалася в миршавенькій надії на зачіпку: чому не тепер? не вже? чого чекати?

Красиві діти, у нас мали б бути красиві діти: елітна порода. Ліпше не згадувати, так? Та ні, воно якось і не болить уже: пам'ятається — думками, а не чуттями (і невідомо, що гірше!). Що правда, то правда: в рабстві народ вироджується, — тлуми, що заповнюють київські автобуси, всі оті сутулі, пом'яті лицями чоловіки на жокейськи вивернутих ногах, жінки, поховані під тюленистим коливанням сиром'ясного тіста, молодики з дебільним сміхом і вовчим прикусом, що пруть напролом, не розбираючи дороги (не відступишся — зіб'ють з ніг і не завважать), і дівулі з грубо вималюваними поверх шкіри личинами (зчисть шмаровидло — і оголиться гладенька яйцеподібна поверхня, як на полотнах Де Кіріко) та стійкою аурою якоїсь липкуватої недомитости, — то наче речі, змайстровані нелюбовно, абияк, на відчіпного: гнали план у кінці кварталу, потребували дитини, щоб стати на квартирну чергу, або просто трахнулися десь у парадняку чи, по п'яному ділу, в тамбурі поїзда (вона *їхала* колись у такому поїзді, з Києва до Варшави, на фестиваль поезії, здумати лишень! — хижа навала торбешників, плацкартний вагон, затарений бебехами попід стелю, — *товар*, ось як воно все у них звалося, зовсім-таки науково, на радість Карлику Марксу, — сморід клозету, провислі на одній завісі двері до тамбура, що раз у раз відхиляються під розгін тарахкотіння із повільним, як мука скреготу зубовного, скрипом, звично бридливий вираз на свіжо-поголеній пичці польського митника, який бере — по пляшці водки від «пшедзялу», і це ще харашо, запевняють помолоділі на радощах тітки, обтрушуючись і витягаючи — уфф, пронесло! — з бездонних спортивних рейтузів по дві-три чудесно врятовані пляшки, кожна потягне в Хелмі на десять баксів: оно в Ягодині було раз — давайте, кажуть, по бабі від автобуса, то пропустимо! — І-і, та ви шо, та й дали? — А шо робить було? — вночі вона лежала на горішній полиці, слухаючи какофонію різнотонного хропіння, й болісно любила свій нещасний народ, і народ — почув і відгукнувся: масивна постать забовваніла в спертій півтемряві, війнуло по лицю тяжким, збудженим віддихом: «Мамочка… малишка… Ну іді сюда, слиш? Слиш мєня? — заводячись дедалі дужче: — Ну чо ти? Іді, пєрєпіхньомся, слиш? — рука шурнула під простирадло: — Ну дай я твої грудкі пріласкаю», — скинулась, стявшись у клубок, заволала добре артикульованим басом:

«Атстаньтє, пажаллста!» — а на сусідніх полицях, суки, як повимерло зі страху — за *товар*, мабуть? — тільки од проходу тремтячим голосом обізвалася старенька бабця: «Дайте їй спокій, чого ви причепилися до дівчини?» — «Маммаша! — гарикнув, розвертаючись: — Нє лєзьтє нє в свайо дєло!» — але — відволікся, збило: спустив-таки частину загрозливо-стрімко наростаючої агресії, й тут вона закричала на цілий вагон, і він, так само не збавляючи вже тону, проревів, відступаючись: «Ну учті, казліна, я тя вєздє дастану! Я тя так дастану, шо будєт тє в Хелмє піздєц, ти мєня поняла?» — в Хелмі була пересадка, і вона, вхопивши куртку під пахву, втікала через вагони в хвіст состава, провідниця, хирляве, мов запране на виду дівча, по-старечи скрушно похитуючи головою — таке робиться в цих поїздах, що страх Божий! — випустила її через якийсь запасний вихід — підніжки не було, довелося стрибати, вслід кинутій сумці — в їдку вогкість туманного поранку, просто в насипаний між рейками щебінь, в кров обдерши об нього долоню, — і просто до рук розлюченому, підтягнутому в ході як хорт польському поліціянтові — тутай нєма вийшьця, проше показаць документи! — котрому мало що не кинулась на шию, як рідному братові). Аж ген перегодом, у кошлатих еротичних фантазіях (коли розлучалася з чоловіком — сперш-бо вивільнилась, заметавшись, голодна тілесна уява, і з того й посунулося-покотилося, — а дітвацька, чи то дівоцька, двадцятилітня сливе, цікаво задивлена в світ готовність-до-нової-любови увімкнулася вже згодом, довершивши відокремлення), — повертаючись думкою назад, наново розколупуючи в пам'яті ту ніч у плацкартному вагоні, вона пробувала прокрутити собі незнятий ролик: як то *могло б бути*, як то воно *у них* відбувається — в тамбурі, під стук коліс, притишись спиною до перегородки, утробно здригаючись вкупі з нею? чи, мо', в клозеті, осідлавши унітаз, вище підошов у розковезяній круг нього рідкій багнюці? *що вони при цьому почувають, що почувають їхні жінки* — сласну розкіш пониження, збоченський кайф на хвильку оскотинитись, чи, чого доброго, і це ще гірше, взагалі нічого не почувають? а може, чорт його зна, може це і є — здорова сексуальність в чистому вигляді, без комплексів, не спаралізована культурою з усіма її схибнутими ділами, — тільки ж, хай йому грець, чого в них виходять по тому такі негарні діти, діти-ліліпути: з обличчями маленьких дорослих, уже років з трьох-чотирьох застиглими, як схололий пластик, у формах тупости й злоби? Колись, і нестак-то й давно, всього яких три покоління тому, леді й джентльмени, дозвольте вас запевнити, ми були інакші, на потвердження чому вистачить висвітлити на екрані — якщо в аудиторії знайдеться екран і проектор — бодай кілька кадрів — тогочасні, до прожовті вибляклі знімки селянських родин, застиглих у ненатурально штивних позах: в центрі батько й мати з по-школярськи складеними на колінах руками, реґуляції народжуваности, звісно, жодної, і над ними височіє цілий ліс постатей — хлопи як дуби, один в одного, мов перемиті, однаково зосереджено сурмоняться в об'єктив з-під нахмарених брів, старанно, «на мокро» зачесані чуприни, волячі шиї розпирають тісно защіпнуті комірці празникових сорочок, молодший, що, здається, досі пропікає знімок огнистим зором, звичайно в гімназичній формі з кашкетом, це коштувало теличку на рік: дасть Бог, вивчиться, в люди вийде, таке ж бо воно змалечку вдалося бистре на розум, — а вони потім гинули під Крутами, під Бродами і де там ще, ті, з кого мала поставати наша еліта, — дівчата ж здебільшого в народних строях: брязкуча, навіть на око, провислість ковтків, коралів, розкиданих по плечах кіс і лент, мохнато-рясно вишивані полики, бахмата неоремність спідниць і керсеток не укриває пишноти здорових тіл, готових родити, я, проте, спеціально прошу звернути увагу на обличчя, леді й джентльмени, — це прекрасні, вимовні обличчя, над якими попрацював — і Божий різець, і роки трудного життя, котре, — якщо лиш не доскіпуватися в нім повсякчас сенсу, як то здуру чинимо ми, а приймати як є, як погоду й негоду, — помалу-малу стесує з виду вторинні навалькування, оголюючи скупу чистоту первісної — Божої-таки? — горорізьби: все лишнє підтягається, підчищається, виопуклюються чола, впертішають щелепи, і все глибше висвічуються — очі, очі, очі, чорнозем підвівся, і погляд його з віддалі часу — страшний і спитуючий, — що з ними всіма потім сталося, вимерли в тридцять третьому? згинули в таборах, в слідчих тюрмах НКВД, чи просто надірвалися на колгоспних роботах? йолки-палки, ми ж були вродливим народом, леді й джентльмени, відкритозорим, дужим і рослявим, самовладно-міцно вкоріненим у землю, з якої нас довго видирали з м'ясом, аж нарешті таки видерли, і ми розлетілися, розтрусилися по всіх широтах обстрапаним пір'ям із розпоротих багнетами подушок, наготованих, було, на придане, — ми-бо все чекали свого весілля, вишивали собі пісень, хрестиком, слово до слова, і так упродовж всенької історії, — ну от і довишивалися. В рабстві народ вироджується, кажу ще раз, прожовую цю думку до повної втрати смаку, щоб тільки перестала нити, як негода, як щомісячний біль пустого лона, — *виживання*, скоро підміняє собою *життя*, обертається *виродженням*, авжеж, браття-євреї, милі мої ашкеназі (в разі хто з вас випадком затесався серед публіки), — це й до вас п'ється: можете собі скільки хочте згорда пирхати на сабрів — тупиці, мовляв, рогулі, чи як вони там у вас значаться, — а мені назавжди вбився в пам'ятку заздрий, знизу вгору, погляд колеги-киянина, невеличкого, юрливого полукровки з жіночо вузенькими, високо підібганими плічками, що невловно накидали йому профільну поставу горбаня, — ми вешталися з ним по Єрусалиму, переходили попри

стонадцятий на дню патруль, і бідака — не стримав-
ся, заламався: шістдесятирічний, ще брежнєвського
розливу, професор, хлопчисько, що жадібно витрі-
щається крізь дірку в паркані на військовий парад,
став горбатим слупиком, і вихопилося вслід па-
трулеві — глибше власних полукровочних комп-
лексів укрите, аж присьорбнув слиною: «Які вони...
красиві!» — а вояки там і правда як на підбір — мі-
фологічні велетні, помилково вбрані в плямистий
однострій з автоматами через плече, розложисті гір-
ські плато спин, рухомі стовбури стегон, міцні, з си-
нюватим, проти оливкової засмаги, відливом, зуби,
мов сама земля ожила й заходила в ріст, ах які мужи-
ки, бенкет для зору! — в Східній Європі піди-но по-
шукай таких розкішних бардадимів семітського
типу, — ніби там, серед на вохру випалених безводних
пагорбів, і далі тривала, ніколи не перериваючись,
біблійна історія, в кожному разі, *ці* — в одностроях
і з автоматами, як прочісували арабські й християн-
ські квартали, посуваючись по осонню з облудно
лінькуватою грацією ситих хижаків, — *могли* бути
нащадками Авраама і Якова, мій же професор — вже
самими отими мерзлякувато, чи то вибачливо, ску-
леними (укритися, сховатися, догідливо підхихикну-
ти й злитися з меблею) плічками — заперечував до-
стеменність Старого Заповіту: з такими плічками
неможливо боротися з янголом, взагалі нічого
неможливо, окрім як бігти «по вєрьовочкє», що він
цілий вік і робив, що робили, з коліна в коліно все

глибше вгрузаючи підборіддям у грудну клітину, мільйони ашкеназі, а верьовочка лопнула і жида прихлопнула, гай-гай! Але в них — в них усе-таки є випалені до вохряної жовтизни пагорби, на яких триває історія: хто скаже мені, де *наш* Єрусалим, де його шукати?

Там, у Єрусалимі, переходячи від храму до храму, вона просила в Бога сили — більше нічого: рік видався тяжкий, самотній (шлюб, що довший час догнивав був потихеньку, затуманюючи душу, як віконце в парко надиханій кімнаті, нарешті розпався), а головне — бездомний, весь у нарваних скоках від одного тимчасового пристановиська до іншого, аби тільки не лишатися в маціпусінькій квартирці вкупі з мамою: з нею вона починала ненавидіти власне тіло, його вперту, необорну матеріальність — мусило, хоч ти лусни, займати певний кубічний об'єм простору! — ночами снилась собі хлопом — високим, довговолосим чорнявим самцем-Мауґлі, що волочить у койку стару відьму в звислих блакитнаво-сивих космаках — і *не може її взяти!* — ото б утішились американські психоаналітики, аби їм таке доповісти! — тоді-то й стало зринати — промельком, скидом, вихопиться й спорсне — відчуття якоїсь наскрізної відкритости-всім-вітрам: на добре чи на зле? Розумом запевняла себе, зціпивши зуби: хай хоч гірше, аби інше! — а вірші обіцяли: «*Цієї ночі, певно, прийде жах. / Гарячий дрож — любовний чи блювотний — / Передчуттям збоченського зв'язку / Чи крику смертного стенає кволе тіло. / Розрив, розрив — всіх зв'язок, нервів, жил: / Моя беззахисність така тепер зовсюдна, / Немов одвертий заклик злу: Приходь! / Я вже себе побачила будинком, / З якого в ніч оголеним вікном / Горить жовтогарячий прямокутник / Із планками упоперек грудей / І низу живота — як на рентґені, / І камінь той, котрий розтрощить шибку, / Вже десь лежить, чекаючи руки*». Во блін — що тут ще скажеш... А в Єрусалимі якось було попустило, зрештою, й симпозіум видався цікавий, так що поперек-горла-вгороджену кістку власного, вже зафаховілого екзгибиціонізму: щоразу заново демонструвати вишкіреним західним інтелектуалам, що й українці, бач, годні висловлюватися складнопідрядними реченнями, — вона тоді проковтнула порівняно безболісно, — тільки, сидячи в перерві між сесіями на відкритій терасі за столиком, блаженно витягши ноги, посьорбуючи кавусю впереміж із балачкою — сперечалися за Донцова, та зрозумійте ж ви, панство, це не антисемітизм — це рев пораненого звіра: пустіть, дайте нам жити! — й з укритою посмішкою розглядаючи співрозмовців крізь золотинки змружених вій, вона зненацька почула різке, надсадне янчання: невідь-звідки на терасі взявся антрацитово-чорний котюга, задерши хвоста йшов між столиками, крізь загальний сміх

та різномовні оклики, й патрав повітря червоно роз-
зявленим вереском, — бризнуло попід шкіру легень-
ким холодком: це ще що за проява? — а воно, стерво,
скерувалося просто до їхнього гурта — вигнувши спи-
ну, плигицьнуло їй на коліна, теплим тягарем зібгало-
ся в пелені й занишкло, посіпуючи насторченим ву-
хом, перемкнувшись на утробне воркотання: знайшло,
кого шукало. Посміялись тоді, та й вже, — з несвідо-
мим острахом, мов на те, щоб загодити, вона обереж-
но погладила звірюку, — котище розплющив на неї
жорстко засклені золоті очиська з чорними проріза-
ми зіниць, як у навспак поставлених свічок, охнула
подумки: свят-свят-свят! — попалась, золотце, от коли
попалась — акурат за півроку до того, як — оглуши-
ло, завертіло вихором, підхопило-понесло, не дав-
ши охануться: спасительницею себе уявила, жоною-
мироносицею, так? Ну то маєш — прицільно, просто
в той світляний прямокутник, із планками упоперек
грудей і низу живота, і не скигли тепер — він, як-не-як,
тебе любив, той чоловік. Ні, то *щось* інше хотіло ним
тебе любити: котик у пелені, котик на лоні, зблиск
очей і пазурів, а я, розпростерта, граю на скрипочку
і кричу: ах коханий, мені боляче, боляче, чуєш?

Поясни мені одну штуку. Поясни, бо я щось ніяк
не в'їду. Ти що ж — *справді* вважаєш, що коли
у тебе — стоїть, і не зразу кінчаєш, то ти вже й князь,

і жінка мусить сукати ніжками й прискати окропом, іно ти зволиш до неї доторкнутися — серед ночі, по тому як позгортаєш, акуратненько так, свої рисунки, а я тимчасом відбуватиму перший сон? А втім, із його приїздом їй перестали снитися сни — точніш, вона перестала їх пам'ятати: клубочились якісь ошмаття, переважно тьмяних, брунатних і асфальтово-сірих, тонів, але жоден *сюжет* не протискався в денну тяму, немов між нею і нічною в мить пробудження падало важке віко, — свідомість його присутности поруч перекривала канали зв'язку. Чи не вперше в житті вона виявилась ув'язненою в клітці голої наявности — світ зробився непрозорим, вимкнулось і погасло його друге дно, мерехтючо-підводна сітка нерозгаданих значень, що доти завше світилася в снах і віршах, — тепер не було ні снів, ні, відповідно, віршів: вона втратила орієнтацію, наче позбулася одного із змислів, оглухла чи осліпла. Розбомблене вночі тіло цілий час відчувалось неповоротким, якимось одутлим всередині, ніби справді була вагітна — пакетом базарного м'яса в кров'яних підтьоках, та що ж це мені все не слава Богу, тупо дивувалась вона — і засинала на його руці, мов непритомніла, а він радісно бубонів над вухом: «*А знаєш, ти, виявляється, можеш бути дуже навіть „пріятной женщиной" — тільки з сексом наладити треба*», — «*Секс*, — спросоння мимрила настановчо: голова все-таки вирубувалась останньою, — *це тільки показник якоїсь глибшої незгоди*», — «*Сумніваюсь*», — обтинав він — і тим закривав тему. Виходить, не так уже й багато ти про це діло знаєш, радість моя, — попри весь свій уславлений досвід, і хто б подумав! *Говорити*, звичайненько собі дійти згоди було неможливо — оскирявся з місця, займаючи оборонну стійку, на той час, коли спроба серед дня витягнути до нього руки стала зроджувати в ній блискавичне млосне відчуття захитаної рівноваги — наче в різко спиненому ліфті, або коли спішиш одинцем наперейми юрбі, що сипонула з тролейбусної зупинки, — він бо «не любив, коли його обмацують», далебі нездоровою була ця знехіть до нормального контакту («*І не соромно тобі оце*, — насмішкувато скалив око з подушки, — *обмацувати мужчин?*»), — на той час вона ладна була вже не те що говорити — голосити, нескінченним двадцятичотиригодинним монологом (так неперетравлена їжа пре з отруєного організму в оба кінці), трясти його за плечі, щоб докричатися, та що ж це таке, чувак, — а чувак, між іншим, сім'ю будувати приїхав, сурйозно, без дурників, привалив у чім стояв, оце кохання! — і все випоминав їй, що, поки він тут з нею, у нього вдома на будівництві майстерні цеглу розкрадають, «*Ти що*, — бралась руками в боки: відьма, зечка-блатнячка, зроду не підозрювала себе такою, — *хочеш, щоб я тобі неустойку заплатила?*» — ах холєра, ну як мислимо, щоб двоє недурних людей, які начебто ж кохають одне одного, так? які здолали стільки перепон, щоб бути разом, чого коштувала йому сама тільки віза, після всіх автокатастроф і розбитих ребер, чого коштувала їй та зима в Кембриджі, — негодні були е-ле-мен-тар-но порозумітися, — на голову не налазить! І — як об мур без пробоїн, от під такі хвилини, певно, його дружина й шпурляла в нього ножами, про що раз був обмовився знехотя, — премиленько, нічого не скажеш, родинний спорт української інтелігенції: і що, свербіло спитати, не влучила? Натомість силкувалася бути розважливою: слухай, я ж не кукла на шнурку, що ж ти так, — визвірявся спідлоба, зігнутий над столом, мов розмотуючи димні кільця злоби: *«В мені просто багато речей убито!»* Дякую тобі, серце, — відтепер, здається, в мені також. Значить, вона заразна, ця хвороба духа? Значить, тепер і мені — ліпше втікати од людей, ліпше не зближуватись ні до кого на відстань подиху? Ти навчив моє тіло — каструвати кривдника: вся моя, з коліна в коліно громаджена жіноцька сила, досі спрямована до світла (найдорожча пам'ять з минулих кохань — сонце в чорному небі: таким воно бачиться з космосу, то *звідти* набиралась по вінця струмуючою радістю моя утла посудинка), з тобою — вивернулась чорною підкладкою назовні, зробилася нищівною — смертоносною зробилась, щоб сказати прямо, не завиваючи в папірці. *«Влякну, де стою: о, бих / Страшний, переступний гріх — / Донині трясе відриг, / Мов труться тороси криг / У нутрощах! Під грудьми! / Кого благати:*

Задми / Цей синій, сухий пожар, / З грудей відвали тягар?» Бо я — винувата-таки, бо любов моя зосталася в Кембриджі, станула по весні з глибокими снігами, а на літо, на час твого приїзду, лишився вже тільки рубець — і надія, що ти його — відживиш. Мала 6 раніше втямити: відживляти — не твій фах.

Несподіваний дзвінок із дому — від товаришки, що рік як пішла в бізнес і, єдина з-поміж усіх київських приятелів-друзів, може собі дозволити телефонувати до Америки: чи ти зараз у стані вислухати справді страшну звістку, питає вона. Тобто? У слухавці коротка пауза, відтак падає, стиснутим горлом: Дарка загинула. Вмент терпнуть обкидані приском ноги, а за ними й усеньке тіло отерпає, як при анестезії: ні! (А десь на дні свідомости дзижчить, невпійманою комашкою між шибками, паскудна думка: щасливиця, відмучилась! — бо мучилась вона таки тяжко, красуня й розумниця, ох як їй пасували «по-молодицьки» вив'язані тернові хустки з випущеними поверх кожушка тороками — рум'янець на розложистих вилицях, як яблуко-циганка, гостренький, мишкуючий носик, складені чирвою вустонька, суцільна цитата з фольклору, жива ілюстрація до Гоголівської «Ночі перед Різдвом», і гумор у неї був — також гоголівський, класично-український: коли баляндраситься з преповажною

міною, а слухачі надривають боки, — і цілу моло-
дість мучилася — з дурепою-матір'ю, що позвихала
мізки й чоловікові, й дітям, зі сволочними хло-
пами: перший муж покинув зараз по дипломі, іно
дістав столичний розподіл, задля якого, з'ясувалось,
і женився, з другим скінчилося зірваною вагітністю,
і по-оїхала гінекологія, мов з гори вділ, з третім,
смирним, як хлібний м'якуш, і цілий вік не-при-
ділі, гарувала за здорового дядька, поки він, спасибі,
глядів малу, — репетиторствувала навсібіч, брала
переклади, скакала, як і всі ми, по винайнятих ха-
тах, волочачи на горбі родину, дописувала дисерта-
цію, і от, бач, знайшла врешті працю в якійсь ново-
заснованій американсько-українській фундації, три
місяці як стала на ноги, їхали автом з Борисполя,
а назустріч, по тій самій смузі — в дупель п'яний
«жигуль»: четверо душ, усі, хто сидів ув авті, — на міс-
ці, і бувайте здорові, і тільки високий, тонкий голос
виводить — без сліз! — у порожньому закадровому
просторі: ой якби я знала, що буду вмирати, я б собі
казала явора врубати, збудувати трумну на чотири
боки, щоб вона стояла трийцять штири роки, сто-
яла, стояла, та й почала гнити, та й стала до дівки
труна говорити: або іспаліте, або порубайте, або
порубайте — або тіло дайте...). Стоячи серед кухні
зі слухавкою в руці, держачись за Санин голос, який
укотре повторює: що тепер буде з Талею, що буде, —
Талі п'ятий рочок, вилицювата, в маму, дівчинка,
тільки з татовим носом бараболею, колись, іще

немовлям, вона вразила тебе своїм стеряно плаваючим, питальним водянистим зором, котрий ніби шукав, за що зачепитися, — Дарка переповивала її, й зринуло, мов невидимим вітром нашелещене: *«Як це дивно — дівчинка. Дитя. / Вираз невдоволення на личку / Впорядкуйте спершу це життя — / А тоді, мовляв, мене і кличте. / Лялечко, людинонько, прости — / Світ, що не білився хтозна-відколи, / І батьків, що вкинули — рости! — / Наче помирати в чистім полі»*, — стоячи так, вона виразно чує той *інший*, закадровий голос — не Дарчин, ні, хоч Дарка — співала, і саме народні пісні лепсько їй удавалися, була в неї, бозна-звідкіль, ота природна, жіноцьки-грудна — колодязним провалом углиб — етнічна інтонація, яку фіґ підробиш, і найупитіша компанія розм'якала, занишкала хляками в кріслах, щойно Дарка, затягнувшись напослідок цигаркою, сміхотливо сіпнувши бровою: «нікотинчик-вітамінчик», — заводила, на диво чисто, обличчя їй випогоджувалось лагідним смутком, — осипалися долі платочки тернового цвіту, чий-то кінь стояв, чутко нашорошивши уші, похитувався в березі човен, та все хлюп-хлюп-хлюп-хлюп, шамшіла трава під чиєюсь скрадливою ступою, і зносила вода вербове листя, і все-все, скільки світу, зносила вода, жили на цій землі якісь безіменні люди, до чогось прагнули, кохали й страждали, і тільки розрізнені мокрі сліди голосів (голосінь?) зостались по їхніх життях — ще можна напитись із того слідочка, ще можна відчути: твоя власна мука, на мить осяяна пізнім, навзахіднім проблиском смислу, — не одинока, не перша й не остання, й тут вона згадує, що насправді в тій баладі труна стояла впорожні не *трийцять* штири, а *двайцять* штири роки: та жінка, що високо й пронизливо виспівала свою смерть (поклала б я мужа — люблю його дуже, лягла би самая — дитина малая; лягай, мила, сама, якось воно буде, малую дитину та й доглянуть люде...), була ще молодшою за нас, дівчисько ще зовсім, — а ти, обурюється Сана, ти що, зовсім там від'їхала, ідіотко, подумаєш, трагедія — невдачно трахнулись, — ні, коли *так* переповісти, то яка ж тут трагедія, все залежить від того, як переповідається, тільки Сана не знає, і ніхто не знає, що розповіла тобі Дарка незадовго перед твоїм від'їздом, — то був чи не перший раз, коли вона розкрилась тобі по-справжньому, хоч зналися ви ще з університету, рік перед тим Дарка поховала батька — той був музика-лауреат, депутат і, свого часу, ледь не член ЦК, трохи, правда, і його були поскубли за націоналізм, і він став грати на урядових концертах, а звикла до комфорту жона робила йому дірку в голові, коли натинався на офіціозних бенкетах виголошувати тоста українською мовою — хай і видурнюючись, блазнювато каламбурячи, «здоровенькі-буликаючи», представник ЦК — бетонна брила в сірому костюмі — несхвально мовчав: жоден м'яз не здригнувсь на непроникному, мов наллятому водою обличчі,

ай-яй-яй, що ж тепер буде, «ти ж в Канаду собрал-
ся, — лящала мати, скидаючи пальто в передпокої,
поки вагітна Дарка, знемагаючи од токсикозу, мо-
лола в кухні каву для тата, — ти головой своєй со-
ображаєш?» — і, вийшовши в кухню, засмаливши
(по кількох обламаних сірниках), старий сказав
дочці — так само по-російськи, жорстко: «Я знаю,
я всего лишь общественно-политический шут»,
і ця фраза зосталася в ній назавжди, невийнятим
цвяхом — поховали його на Байковому, з усіма по-
честями, в усіх газетах були некрологи, і оркестр,
згідно з останньою волею небіжчика, грав «Козака
несуть», — кінь клонив головоньку, пізня дитина,
Дарка була пізня дитина, батькові на той час спов-
нилося сорок: вродливий, зрілий мужчина в зеніті
слави, і як іще можна було його втримати, коли
не другою дитиною? — я тільки тепер зрозуміла
матір — як жінка, говорила тобі Дарка, болюче сві-
тячи очима, я зрозуміла: я — той останній, хто при-
ходить по бенкеті й за все розплачується, — в той
вечір вона не співала, ви укрилися вдвох кінець
стола, і ти слухала, наскрізь вистуджена подувом
її жорстокої відваги насупротив життю, до кісток
проймаючим протягом враз установленого посе-
стринства: платим, дівоньки, авжеж, за все платим,
до останнього шеляга! — потім ловили машину,
набивалися оселедцями в салон, тарабанячи ме-
талічно цупким букетним целофаном: був чийсь
день народження, трохи чи не Санин-таки, — хтось

мостився між сидіннями, хтось, у неповороткій шубі, громадивсь комусь на коліна, по-оїхали! — як сказав первий совєцкій космонавт, — і — поїха-ли, полетіли, сестрички-голубочки: ти — за океан, а Дарка — ще далі, молочно-білою тінню стартував-ши з гори перем'ятого брухту на котрусь із найдаль-ших зірок, — пізня дитина, народжена матір'ю, щоб утримати чоловіка, а не стало кого втримувати — і вичерпалось життя, розтиснула п'ястук Господня десниця, відпускаючи на свободу наболену душу: мир тобі, страднице, відпочинь.

Дарцю. Дарцю, ти чуєш мене?

Не було на тобі вини, що покликана в цей світ — не любов'ю. Помолися там, де ти зараз є, за нас усіх — нам іще жити.

Прокидаючись уранці (ну, й пощо було прокида-тися?), вона довго лежить на животі, обхопивши руками подушку: новий день сиплеться на думки градом виснажливо-безглуздих зобов'язань — замо-вити ксерокси для студентів, відштампувати їм на фа-культетському принтері нову контрольну, зайти до банку, до drugstore[39] — скінчилися вітаміни, і кол-готок треба би прикупити, відповісти на два листи,

39 Аптека.

потелефонувати до travel agency[40], ой блін! — десь загубився замовлений нею квиток до Нью-Йорка, котрий мали вислати поштою, хоч, коли подумати, на фіг їй здався той цілий Нью-Йорк — ну вилізе на сцену, ну прочитає по-англійському парочку своїх, з таким скрипом перекладених стихів, ну вип'є потім навстоячки келих вина і заїсть вмоченими в помідоровий соус креветками, пошкіриться до двох-трьох випрасуваних літературних аґентів і дядь із ПЕН-клубу, можливо, заскочить на годинку-другу до колись улюблених музеїв («*На фіґа мені ті музеї,* — весело горлав у телефон, коли дзвонив до неї до Кембриджа, з України ще, — *мені в тій Америці тільки одну баришню побачить треба!*» — тоді це здавалося бравадою: ну як таки можна свідомо від чогось відмовлятись, обтинати собі життя на пню, воно ж таке неосяжно-цікаве! — а тепер, бач, і в ній пропав усякий-будь смак пізнавати, колишня невситимо-вбируща хіть відкривати нове — мать його за лапу, та чи я вже вмерла?.. Перша розмова між ними на цю тему вийшла була якась безтолкова: «*Їду до Америки — поїхали разом?*» — «*Ага,* — сміявся, — *машиною — якщо солярки вистачить*». — «*Я серйозно кажу*». — «*Що я там робити буду?*» Таж малюватимеш, безвію, — і побачиш Metropolitan, і Modern Art Museum, і Art Institute у Чікаґо, дзеркальні октаедри космічно-ґіґантських сталаґмітів, що громадяться на обрії, коли під'їжджаєш до міста, вигинисті видихи мостів і віадуків над автострадами, простір із фантастичного фільму чи сну, жаскувато-безмежний, нема ж йому впину, розгін, прерію без ковбоїв, легкий присмак безумства, проблимуючий в нічному жахтінні реклам: розум, що лякається власного творива, це ж бо всуціль рукотворна цивілізація, і тому звідси — лунатично-щемлива, місячним сяйвом розіллята в пустелі саксофонна туга, вихляючий (п'яним негром насеред хідника) і за кожним млосним вивертом витягаючий душу голос співачки в джаз-клубі: «I'm all alone in this big city — Wilson, buddy, have some pity»[41], колихаються дими у притемку над баром, над більярдними столами, де постукують киї, всі ми тут самотні, вільні й самотні, це прекрасно — творити собі життя саморуч, це страшно — творити собі життя саморуч, побачиш живцем обличчя всіх рас, зібрані докупи, кольори й відтінки — від топленого шоколаду (які безсоромно лілові підкладочною наготою мушлі губів, які звірино розчепірені закамарки ніздрів!) до азійської химеричної — жовтий місяць, цитрина, неспіле авокадо — прозелені, все це міситься в одному тиглі, який шалений, оглушливий для ока фільм, нема ж йому впину, ярмарково-строкаті ятки на вулицях, хризолітовий полиск вітрин у розповні

---

41   Я сама-самісінька у цьому великому місті, Вілсоне, друже, зглянься.

дня, і над усім, на придорожніх щитах — карамельно-яскраво розсміяні кількаметрові личка загиблих дітей: жертви drunk driving[42], вознесені в небо маленькі янголи цього земного падолу, о Дейві, о Кевіне, о Мері-Джейн, що буде завтра з нами всіма? — побачиш з ілюмінатора захід сонця над Атлантикою: воно падає стрімко, на очах, відкидаючи вздовж овиду яро-червону доріжку, і хмарні сніги сутеніють на вапняк, на гірську породу в темних прожилках рівчаків, а відтак починають скресати, сірими торосами в студених сталево-синіх проталинах, тільки там, де впало сонце, ще виднієтся чітко окреслений острівець жару, і вже напливає звідусюди морська мла, і літак входить у ніч, за яку годину протинаючи її з кінця в кінець, і от уже знову сіріє в ілюмінаторах, цим разом світаючи, — ти почуєш, як дихає планета — мов немовляче тім'ячко, як близько там, у небі, до Бога, бо, знімаючись з місця, виламуючись із насидженої лунки, ми відкриваємося йому так само, як у мить народження або смерти, — і ти вирвешся, о, вірю, знаю! — вирвешся з глухого тунелю, що ним, по-дурному затявшись, прешся назустріч своїй лікарні-тюрмі-лоботомії [якого хріна, що ви всі собі дозволяєте, хлопці, чи розпач — не завелика розкіш для українців, уперше в цьому столітті все-таки наділених реальним шансом на повноту життя?..], ти напишеш свої найкращі

42   Кермування автомобілем у нетверезому стані.

картини, і слава — *справжня* слава, та, якої жоден українець іще не мав, хіба Архипенко, — виведе тебе — першого з-поміж нас — під сліпучий прожектор історії, ти-бо вартий більше, ніж їхній Шемякін чи хоч би й Неізвєстний, ти ж направду such a damned good painter, це *тобі* належиться по праву власна галерея на Сохо, десь вона мусить чекати на тебе, поки ти сліпаєш ночами в своїй злиденній майстереньці без водогону, де тиньк сиплеться зі стелі на свіжі скульптури, до чого ж уїлася вже ця класична національна безвихідь — сил нема терпіти! — звинемося туди-сюди, понипаємо в пошуках right people[43], які б тебе побачили, зараз саме слушний час, все-таки, яка не є, а Юкрейн, і арт-менеджери починають мишкувати за новими іменами, все буде клас, все-все дасться зробити, Господи, як я хочу, аби ми щось *побачили*, аби нас нарешті *почули*, і скільки сил я вгепала в це діло — як в унітаз спустила, подумати страх! тябричила на Захід з дому найвиборніші книжки й слайди, тицькала людям під носа, удаючи довкруг себе димову завісу якогось примарного контексту, з яких лиш трибун не вимахувала руками — приголомшений директор Кеннан Інстіт'ют запевняв мене після того в подячному листі, що «if the fate of Ukrainian literature is in the hands of people like yourself, one need not fear

43   Потрібних людей.

for its future[44]» — не підозрюючи, звісно, що в моїх hands хіба поручень в автобусі, та й то коли не одтиснуть, — нічо', братіку, не журись, прорвьомся, я витягну, виволічу тебе на собі, моєї потуги стати на все: пів-України з місця зірвати, пів-Америки поманити за собою в Україну [і справді ж була проходила по їхньому континенту, як ґаммельнський щуролов із денцівочкою: студенти ледь не цілим класом подавали заяви в Корпус Миру — for Ukraine, колеґи з американських університетів починали студіювати українську мову, запускалися в рух маховики дерзновенних проектів — спільні видання, симпозіуми, перекладні антології, йолки-палки, скільком людям голову заморочила!], — на всі її «говорила-балакала» [давала — плакала...] він тільки скупо всміхався: ну-ну, «Подивимось», те його «Подивимось» з часом почало їй звучати як пароль безнадії, попервах вона списувала таке маловірство на рахунок провінційної закомплексованости: куди, мовляв, нам, зі свинячим рилом, — *«Ні, ти все-таки мені поясни, як так можна було — пропасти, щоб ні звука, ні знаку?»* — нагороїжувався, ставлячи очі рогом: *«Кажу ж тобі, я не вірив, що коли-небудь сюди приїду!»* — ну от і приїхав, і що тобі з того прибуло, скоро наперед знав, що все тут тобі — «на фіґа»? Привіз із собою грубий альбом зі шкіцами, з нього й писав: все

<hr />

44   Якщо доля української літератури в руках таких людей, як ви, то нічого боятись за її майбутнє.

126

ті самі голомозі й гострорисі чоловічки несли по горбах крізь жовтогарячу пустелю на рогатинах то місячно-зелених вирлооких риб, то велетенський вказівний палець лівої руки [чому — лівої?], то розмаяну вітром вишивану корогву, зависали між підпаленим небом і посутенілою землею, перебирали дитинно-вузькими босими ступнями по зубчастих коліщатах точильного станка: отак, лукаво мружив до неї око, Бог вчить поетів ходити — гмукала, не годячись, чи радше, напівгодячись: хтозна, мо', й справді — так?). Чим, із чого продовжує писати, якщо світ довкола йому нецікавий? Нещасний ти чоловік, Миколо: любив машину — розбив, любив жінку — зламав, — в ніч остаточного розриву їй приснилося (і той сон вона — запам'ятала-таки, винесла з тьми нагору), як він повільно відходить від неї, обернений спиною — така ще рідна стрижена потилиця, опущена голова, шорти й жорстко накрохмалена біла сорочка з настопірченими короткими рукавами: пацан пацаном! — по вузенькій кладочці, похиленій кудись вділ, куди — не розгледіла, і спокійно (вперше за цілий час із ним — спокійно!), розважно-ясно ствердилося крізь сон: не спасеться, ніт, не спасеться.

А хрєново ти, подруга, виглядаєш — ох, хрєново: на повний сороковник, дарма що сходила постриглася (на героїчну надсаду спромоглася, бо стан такий, особливо вечорами, що раз була замалим не заснула вбраною, і лиш дивно притомний, крізь липку млу обважнілого мозку, укольчик страху: та що ж це я, до ручки вже докотилася?! — змусив-таки спустити ноги долі, намацати халат, перебратися й поплуганитися до ванни: і косметику змий, так, ваткою, лосьйончиком змоченою, протри під очима, і зубки почисть, спершу «Лістеринчиком» прополоскавши, дуже добре, молодця, а тепер під душ! — а тепер нумо, рушничком розтерлася, а тепер нічний «Oil of Olay», оно він чорніє на поличці, спершу на шию, тоді на лиця, цяп-цяп, кінчиками пальців, помасажуй трошки, ну от, готово, і слоїчка закрити не забудь — а тепер уже й кладися до ліжка, як Бог приказав), — і все то як мертвому припарка: несподівано видибаючи собі назустріч із випадкових, на повний зріст, дзеркал, вуличних і крамничних, вона першої миті не впізнає цієї бабери в знайомих елеґантних строях, і справа навіть не в страхітливій шкірі, відразу на кілька років змарнілій (треба б менше курити...) і поплямленій слідами од прищів, і не в брезклому, якомусь обдемкувато-бридливому, мов спущений м'яч, зачерку долішньої половини обличчя (так і жди: іно розтулить пельку, зараз скиглити почне!), а от — щось невловно змінилося в цілій постаті, в рухах, в ході: щезла та неповстримна розгонистість літака перед злетом, що завжди в ній була, і — знявши димчасто напилені окуляри, придивлялася: атож, погас зір — не вдаряли більше очі з обличчя прожекторами, а ховались у нього з такою заплаканою мукою, що самій хочеться чимскорше перевести погляд кудись-інде. Кажуть, за статистикою пересічна людина дивиться в дзеркало сорок три рази денно, — сорок три рази денно ти, зі стиском утробного страху, все ще не ймучи віри, витріщаєшся на цю мегеру: отже, це я? Відтепер і назавше? (І зараз же збирається на плач, уже од безнадії: відчуття, забуте з підліткового віку.) М-да, ні фіга собі. Ні, якби правильне освітлення, згори і трошки під кутом, то ще б туди-сюди, ще щось із тої давньої дається впізнати... Ой, я тебе прошу! — кого ти дуриш? Ще взимку, під час того перельоту, у Франкфурті, де сиділа скулившись під стіною й шпарко строчила в блокнот, невидимим болем спливаючи, — перехожі парубоцькі ватаги цікаво перечіпалися об неї, пригальмовуючи на ходу: «Hi, girl!», ще півроку тому, в Кембриджі, за нею упадав суперхлопчище, красень і атлет, шість футів два дюйми, і в плечах стільки ж, ласкавий як заїнько, зі шкірою наче смуглявий шовк і чистим запахом здорового молодого мужчини, ах який з нього мав бути коханець — гризи тепер собі кісточки, гризи! — і на її «I'm ten years older than you are» відказував, по паузі, трошки заскочено: «You're lying»[45] — вона й для нього була, щиро й невдавано, просто girl, котра йому подобалась, — а її, замість вабити, вже нишком

45   Я на десять років старша за тебе. — Брешеш.

дрочив той непереможний натиск дурного здоров'я, весела й самовпевнена *небитість*, вона-бо була «поетеса гостро трагічного світовідчуття», як колись писав про неї вдома один прибацаний критик, ая, вона вспадкувала це, як ото групу крови, і в цій країні, з її кодексом примусового щастя, котрий, розуміється, покотом тиражує невротиків і психопатів, носила своє історичне страждання з викликом, наче породистий пес медаль із виставки, — ледь-ледь зверхньо осміхаючись, говорила в довірливо розкриті роти (слова падали в підставлений келих з вином і коливали блиском поверхню): у вашій культурі горе — виключно особистого характеру, самотність, любовні драми, оті клінічні інцести, котрі сорокалітні тітки буцімто починають видлубувати на психотерапевтичних сеансах із дитячої пам'яти і в котрі я, по правді, не вельми вірю — повчащавши рочок-другий до психіатра, ще й не таке згадаєш, — але вам невідома підвладність неборному, метафізичному злу, де від вас ні чорта не залежить, — коли зростаєш у квартирі, яка постійно прослуховується, і ти про це знаєш, так що вчишся говорити — одразу на невидиму публіку: де вголос, де на мигах, а де й змовчати, чи коли перше твоє дівоче захоплення виявляється приставленим до тебе стукачем, який за рік доволі халтурно відбутої служби — переважно кав'ярняних балачок і валасання по кінах — бере та й закохується в тебе направду, без дурників, і освідчується — освідчуючи свою каґебівську місію (роти роззявлялися ще ширше, кругліше: оце життя, заздро гадалося їм, оце real life!), і ще, ще — одначе про це вона вже воліє мовчати, — коли в тридцять років уперше шугаєш у койку з чужоземцем, навальна романтична пристрасть (із напрочуд приємним пахом дорогого дезику!), до якої він, утім, поставився поважно й став забалакувати про одруження, — і фартило ж тобі, дівко, в житті на сурйозних чуваків, кого не візьми — усім зараз кортіло женитись, хвороба така, чи що? мар'яжна пошесть, або, може, мода на поетес? — і той запашний (і ніжний, авжеж!) мужчина спробував справити тобі гардероб, бо твій власний складався зі старих джинсів і кількох, навіть не богемних — жебрацьких уже, кохтин, — він купив тобі дві *справжні* сукні з тонкої вовни, і сріблясту шовкову блузку з підкладними плечима, і розкішний, барви червоного вина костюм, у якому ти вмент спалахнула цілком уже заморською вродою (басейни, шезлонги, яхти, білі гоночні автомобілі...), і кілька пар черевичок (привіт од гоголівського Вакули — італійські, м'якесенької шкіри стодоларові «лодочки» ти доношуєш і досі), і ще купу всяких придабашок, сумочку, і метеликовий рій строкатих шаликів, і косметику, й дзвінкі циганські брязкальця, годинникова браслетка наново вирізьбила артистичну вузькість зап'ястка, а рясні дармовиси-сережки — високу беззахисну шию, все було дороге, дібране любовно й зі смаком — і, вперше на віку затоварена по саме нікуди, вперше по-журнальному вистроєна, аж самій од себе заперло дух перед дзеркалом (і так сорок три рази!), — ти впала в нестерпний, ядучий *стид*, ти відчула себе типовою совковою проституткою, що трахається в готелі за пару трусів, і хоч *не прийняти* все те добро тобі таки виявилось понад силу, але роман на тому й урвався — ти просто перестала відповідати на його амстердамські дзвінки (а він тимчасом спішно оформляв розлучення і таки, здається, трохи чи не оформив), бо, зрештою, що б мала робити в Амстердамі? — і вернулась до чоловіка, возити йому джинси й запальнички з закордонних відряджень, і була не те щоб задоволена, але — *чиста*: які там не є, а *людські* взаємини, не заражені наперед принизливою нерівністю країн і обставин, проти якої — не попреш-таки (і тому тебе зовсім не дістовало, що в Америці твоє велике кохання жило на твоєму утриманні: подумаєш, біг діл, заробиш — оддаси, — дістало, і то не жартом — оттоді-то заламалась, забігала по хаті, ухнувши на кілька годин в яму чорної, огненно-пропекущої зненависти, ладна, як його колишня дружина, і собі, аби трапився попідруч, вгородити в нього всі наявні ножі й інші колюще-ріжущі предмети, щоб рухнув, виблядок, стікаючи кров'ю, щоб ходив кров'ю, щоб кінчав кров'ю! — у-уу, жах, дякую красно за такі переживття, воліла б ніколи себе такої не знати! — щойно тоді, коли з хамською незворушністю — мужчина ж бо! кремінь! — заявив, уже по телефону, що нічого їй не винен — що це якраз навпаки, вона ще з ним не розрахувалася, — не інакше як неустойку собі вилічив — за цеглу, Бігме, за цеглу! — хоча звучало як погроза, засміялася хрипко, таки не ймучи віри: «*Слухай, мені що — рекет на тебе наводити?*» — але він уже поклав трубку — молодець боєць, душка-пупсик! — оскаженілу од злоби, мов придержало за плече промельком думки: а як же воно мусить бути хх...рєново так жити — повсюди викликаючи в людей, і не в самих лише жінок, отакі на себе реакції! — яке ж воно, дурне, нещасливе — і не кається...). Знаете ли вы украинскую ночь, леді й джентльмени? Ні чорта ви не знаєте, та й ні до чого воно вам, у вас свої, не менш муторні ночі, ви вкорочуєте собі віку в ошатних сабербіальних будиночках, обплетених плющем, бо нема з ким їсти індика на Thanksgiving[46], тільки я вже замахалась од власної всесвітньої спочутливости, замахалась бачити, куди не піткнусь, — іно горе, горе і горе, — чи то я так влаштована, чи то *моє* «гостро трагічне світовідчуття», як антена комашиного вусика, всюди виловлює запах горя, і я крекчучи повзу на нього, замість весело трахатися з молодим здоровим бичечком (який, збитий мною з пуття, почав, о диво, читати — уже здолав «Хатину дядька Тома», щось із Джейн Остін і спинився на «Пригодах Тома Соєра», а тоді якось, одного вечора, п'ючи чай у мене

46   День Подяки — традиційно родинне свято.

в кухні, — приїздив після тренувань, розпашілий, стягував куртку через голову, метав на ліжко, смішно, по-цуценячому, нюхав собі передпліччя: щойно з басейну, ще пахну хлоркою, — життям він пахнув, блін, життям! — захоплено розповідаючи, що вже навчився *уявляти* описаний у книжці краєвид або кімнату, зненацька перебив себе й спитав простосердо: тільки де ж я тепер знайду таку дівчину, щоб про все це з нею розмовляти? — ах розумничка, просік, на перших-таки кроках: шлях, який вона йому відкривала, обіцяє — самотність, — молоснуло, як ляпасом: стоп, ідіотко, гальмуй, — перестань, нарешті, забивати нормальним хлопам памороки й пхати їх на блудні вогники якогось потайного смислу, в якому й сама ж ні бельмеса не тямиш, а відтак кидати їх на півдорозі на кількарічне зализування ран, — і вже знала, що спати з ним не буде, що тільки такого чумного, як сама, ба ні, ще чумнішого — в лікарняному гіпсі, в драконівських боргах і хвостах міліцейських повісток, брате мій чорнокнижник, ми однієї крови, ти і я, — потрапить не виламати з власної, од Бога приналежної колії, — ай як шляхетно з твого боку, золотце, ну помилуйся, помилуйся собою — кругом файна виходиш, ні?). У психіатрії це, здається, називається віктимною поведінкою, але я нічого не можу вдіяти, мене так учили; взагалі все, що українці здатні про себе повідати, — то як, і скільки, і на який спосіб їх *били*: інформація, що й казати, малоцікава для сторонніх, одначе, коли більше нічого ні в родинній, ні в національній історії не нашкребти, то помалу-малу звикаєш пишатися саме цим — адіть, як нас били, а ми ще не вмерли, — кембриджські приятелі лягали зо сміху, коли ти переклала їм початок національного гімну, Ukraine has not died yet, — «What kind of anthem is that?»[47]— а й справді, ні фіґа собі заспів — якраз із таким «турка воювати», коб не часом! — і тому, тому, дорогенька, скоро так, то — радій і веселися, що не вмерла, бідолашна сексуальна жертва національної ідеї, хоча, як гаразд зважити, то що тут такого вже веселого, і на кий воно здалося, життя без любови, і чи не лучче було, лучче було вмерти, а ще краще, а ще краще та й не народжуватися, чим тепер, чим тепер так катуватися (колись мала одну, також неабияк патріотично схарапуджену, товаришку, котра все нарікала — мовляв, ми закохуємося не в мужчину, а в національну ідею, — й скінчила тим, що пройшлася кількарічним демаршем по койках заморських дідусів, доки в котрійсь не осіла-таки, підчепивши бебі, — яке, не виключено, вирісши, може, навіть вивчить українську мову, якщо, звісно, захоче, а тимчасом його мама підробляє дешевими репортажами на українській «Свободі», яку Клінтон усе не збереться закрити, — витьохкує колись рідною мовою з тими, наче пружини з матраца, випираючими

47   Україна ще не вмерла, — «Це що за гімн такий?»

чужинськими інтонаціями, які мають засвідчити, що вона вже — бери вище! — не з нашого села: ви-рвалась!): я до того веду, леді й джентльмени, що не бозна-який воно кайф — належати до битого народу, як примовляла фольклорна лисичка, би-тий небитого везе, — і так йому, битому, й треба, біда в тім, що при тому він примудряється співати, ну скажімо, думу про безталанних невольників, і тим — усправедливлює власну принижену позу, бо мистецтво, гай-гай, завжди всправедливлює в сторонніх очах життя, котре його породило, і в тому його, мистецтва, ве-еликий обман. Латин-ське ars, що просочилося в більшість європей-ських мов, нордичне Kunst, що відрикошетило у західних слов'ян «штукою», — от де направду здо-ровий підхід, аж чути бюргерську пообідню кис-локапустяну відрижку: штука, забавка, безневинне трюкацтво, акробатичний переверт на линві, ме-лодійний подзвін барокових дзиґарів і штудерно різьбована табакерка, наше «мистецтво»-мастацтво тої ж природи, тільки так — байдужно-поблажливим позіхом: ну-ну, чим там *мастаки* нас сьогодні поті-шать? — і знешкоджується, розчакловується прихо-вану пастку, і, здається, єдина церковнослов'янщина марно виціляє застережного сухого перста: «изкус-ство» — від «изкус», спокуса, ота сама, в яку молитва просить не ввести.

Тільки от одне, каже вона собі, вчотириста-сорок-третє (це що ж, уже довіку?) розглядаючи в дзеркалі — мутному, в плісняво-зеленкових процяпинах (що ти хочеш, дешева квартира в убогому кварталі!) — своє грубо відретушоване близькою старістю (тридцять чотири роки, йо-майо!) обличчя. Тільки одне. Нас не вчили, ціла наша література з її культом трагічної любови — Іванко й Марічка, Лукаш і Мавка, мої студенти були в захваті й заявили, що «Лісова пісня» ліпша за Шекспірову «Midsummer Night Dream», еге ж, — якось забула нас попередити, що в дійсності трагедії виглядають *некрасиво*. Що смерть, у будь-якій формі, є насамперед діло брудне. А там, де нема краси, — яка ж там істина?

Обидно, блін. Обидно. Піти на ґанок перекурити все це діло?..

Відкриття: ось так сприймають світ фригідні жінки! Був час — в останніх днях співжиття і зараз по розриві, — коли, забачивши по телевізору еротичну сцену, вона починала плакати. Тепер дивиться спокійно, як зоолог на зляггання ящірок (а інтересно, як зляггаються ящірки?): двоє напівголих людей на ліжку, мужчина кладе жінці руку на стегно, посуває вище, вона повертається до нього, розхиляючи зігнуті в колінах ноги, обхоплює його за шию, обоє, стогнучи й вовтузячись, зливаються в поцілунку... Слава Богу, переміна кадру.

Ляпнула була з маху, так би мовити, довірчо поділилась цікавим спостереженням: *«Знаєш, що мені здається? Тільки зрозумій мене правильно, не ображайся: що ти відкритий до зла»*. То був третій чи четвертий день по його приїзді — в пенсільванську глушину, де добряга Марк, ладний запросити, коштом керованого ним факультету, всіх поетів і художників світу нараз, аби лиш пособили йому на часинку вистромити носа з тучі хатнього пекла (щоразу, телефонуючи їй до Кембриджа, сповіщав — голоском, до якого пасувала б по-пташиному схилена набік голівка, ку-ку: «А я сьогодні познайомився з гарненькою росіяночкою», «А тут одна муриночка мною цікавиться», — хто б ним, бідашечкою, цікавився, вайлуватим сорокалітнім школярем-відмінником, по-качиному розкарякуватим в ході, з черевцем плюшового ведмедика, вистромленими з ніздрів волосками й ріденьким пушком на лисіючому тім'ячку, — і знову збивався на домашнє, із дитячих зобиджених інтонацій: сьогодні перемив увесь посуд, на працю через те спізнився, а *вона* тільки й сказала, мовляв, ти зле вичистив пательню, — спорскаючи на вересливо-істеричні: коли, вичерпавши всі можливі розради, буцнувшись лобом у глухий мур чужої безвиході, питала в нього навпростець — Марк, ну якщо все так безнадійно, то чого ж ви не розходитеся? — «Because the fucking bitch couldn't survive!»[48] — ага, утримувати дім, платити mortgage,

---

48   Тому що розперетака сука не змогла б вижити.

insurance⁴⁹ і всі інші рахунки, гаразд, що ми в Україні позбавлені цих проблем, нам простіше — спакував валізку, грюкнув дверима, і ґуд бай, май лав: злидні це свобода це свобода), — Марк виклопотав йому майстерню на час літніх канікул: куток у здоровенній, схожій на сюрреалістично заставлений мольбертами спортзал кошарі з матовим, як у клозеті, вікном на всю стіну, — скажи, чувак, спасибі й на тому, beggars can't be choosers⁵⁰, — вона ж приїхала в те обезлюдніле університетське містечко єдино задля нього, задля нього залишила Кембридж — і, щойно залишила, — мов рухнула протаранена стіна, все посипалося з устійнених місць: вже в Бостонському аеропорту Logan, щойно вилізла з таксі, — розірвався босоніжок — волочачи ногу, підійшла до стійки з квитком, і з'ясувалося: всі рейси «United» затримано, у Вашингтоні, де мала пересідати на калікуватого пенсільванського «кукурузника», лютувала гроза, — заметалася від одного службовця до другого, всі знай вистрілювали хлопавками пустих усмішок, що ж робити, вона конче мусила встигнути сьогодні на вечір до Марка, завтра вранці вони планували вирушати автом до Нью-Йорка, до Кеннеді, зустрічати ґеніального українського художника, що не знає ж (ідіот!) ні слова по-англійському, так класно було підігнано сценарій, і от на тобі! — міняла квиток на інший рейс,

49 Позику, страхову забезпеку.
50 Не про злидня перебір.

сорок хвилин упрівала в салоні під булькіт музики в навушниках (щоп'ять хвилин перебиваний бадьорими обіцянками злетіти, тільки-но дістануть дозвіл), у Вашингтонському Dulles було так, мов перед хвилею оголосили воєнний стан: люди гупотіли коридором, метляючи перекинутими через плече сумками, вищали візочки, скреготали коліщата, заходилось ревом, на всьому протязі коридорного склепіння, невидиме немовля, і вона й собі гналася за іншими, з поверха на поверх, петляючи, як уві сні чи в хоррор-фільмі, від ґейту до ґейту, і, добігши, сапаючи, як собака-гончак, до закапелка з своїм кукурузником, розбилася з льоту об мов-скеля-непорушного, професійно погідного клерка за стойкою: «Your plane has just left, ma'am»[51] — а наступний же коли? — а наступний завтра опівдні — бликнув зубами: «Have a good night!»[52] — матюкнулась, пірвалась дзвонити Маркові, всі телефонні «бути» були переповнені, автомат з'їв монету, коло стойок «United» біснувався, качаючи права (от де різниця між нами й американцями!), розведжений тлум, чолов'яга з чомусь мокрою чуприною, явно на межі епілептичного нападу, трусив за барки також мокро-блискучого лицем негра в «United'ській» формі: «You're a jerk, you hear me, man? You go and bring me your boss

51 Ваш літак щойно відлетів, мем.
52 Приємної вам ночі.

140

right now, you hear? Right now!»[53]— той, з біло вибалушеними очима, видирався, цвікав слиною: «You just don't call me names!»[54]— і, фокусницьким, чи то офіціантським, елеґантним жестом вихопивши з кишені рацію, кликав, замість запотребованого боса, поліцію, ну, таке й у Совдепії б сталося,— Розі заскиглила в трубку, що Марк уже виїхав — в аеропорт, їй назустріч,— за шкляними дверима, в жовтяво підсвіченій тьмі, знову закосив дощ, пошкандибала до багажних конвеєрів — забрати валізки, ясно вже, що ночувати доведеться у Вашинґтоні, маленький носильник з ямкуватим, мов з іншого обличчя перенесеним носом, іно глипнувши на її квитанції, радісно сповістив, що вони *встигли* перекинути багаж із бостонського рейсу на дідьчого кукурузника — дуже хапалися, мем, усього десять хвилин мали, але — встигли, Богу дякувати, don't worry, ma'am[55],— стояв, розпромінений своїм звершенням, і чекав на похвалу, аж шкода було його розчаровувати: значить, багаж відправили, а мене ні? І стою я в аеропорту Dulles, у городі Вашинґтоні, на північноамериканському континенті, на планеті Земля, через праве плече дамська сумочка, в лівій руці течка з комп'ютером, ані зубної щітки, ні пари білизни,

53 Падлюка ти, хлопче, чуєш? Ану веди мені зараз сюди свого боса, чув? Зараз же!

54 А ти вибирай вирази!

55 Можете не хвилюватися, мем.

летить зараз десь над Атлантикою чоловік, задля
якого я все це затіяла, і ось це й є — єдина моя адре-
са: трохи прийшовши до тями, викуривши підряд
дві цигарки, перештампувала квиток — на Кеннеді:
хай уже, раз таке діло, Марк завтра зустрічає там нас
обох — нарізно, якось уже здибаємось; потелефо-
нувала вашинґтонським знайомим, що віддавна
кликали її в гості, хоч, мабуть-таки, не опівночі, —
драстуйте вам, оце ж я тут, у Dulles, дайте води на-
питися, бо так їсти хочу, що переночувати ніде, —
от уже справді, дослівно; із записаною на клаптику
паперу адресою — it's fifteen minutes drive, we're
waiting for you[56], уфф, спасибі, не без добрих людей
світ, — відчуваючи на вустах, од перевтоми, невід-
ліпну посмішку розумово відсталої дитини, потрю-
хикала на стоянку таксі, але й це ще був не кінець:
за кермом трапився маленький пакистанець, в чиїй
твердій, розкотистій тарабарщині не відразу вгаду-
валась англійська, — сміливо рушивши в ніч, десь
акурат на п'ятнадцятій хвилині він повернув до неї
голову в тьмі автосалону, повільно, як на шарнірах,
світло зустрічних ліхтарень напливало й відринало,
тінями величезних невидимих риб, червоне табло
лічильника мерехтіло, мов кардіограма в покину-
тій лікарями операційній, — і спитав, чи знає вона
дорогу, — перепрошую, але дорогу належиться зна-
ти таксистові, ні? — голизна порожніх заміських

56   Це п'ятнадцять хвилин їзди, чекаємо на тебе.

автострад, ніч без вогника обабіч траси, де я, Господи, хто я, чому я тут? — ще за чверть години в'їхали в містечко, погналися виметеними місячними вуличками — в один бік, відтак, розвернувшись, у другий, як довго ви в Америці? — кричала вона з заднього сидіння, наче глухому, — п'ять років, відказував він, так само штивно тримаючи голову, — і спиняв кеб, і вмикав світло, і витягав з-під сидіння зім'яте простирадло мапи, обіруч тримаючись за нього, мов за казковий килим-самоліт, що має чудом вивезти, й чогось чекав, втупившись у нього, їй тупо подумалося, що бідака, мабуть, не вміє читати, — як, ви сказали, зветься вулиця? — перекочував у роті камінчики неслухняних звуків, не в змозі вимовити «Руперт стріт», а чи то повторити за нею, бо ж вона *також* говорила з акцентом, хай і не таким диркучим, «куд ю кол дере?» — що-що? aгa, could you call there[57], цебто туди, куди ми їдемо, вже другу годину поспіль, мої друзі там оце, либонь, навісніють, подзвонила й пропала! — добре, давайте сюди трубку, — раз, і вдруге, і втретє, сперша не було зв'язку, потім знервований Рон, який уже, виявляється, телефонував до компанії таксі, давав пакистанцеві, котрий все не виходив із своєї атараксії, якісь багатоповерхові інструкції, й знову починалося загнане метання в химеричному плетиві безлюдних вуличок, ніби водій віддав усі свої реакції машині: кеб

57   Чи не могли б ви подзвонити туди.

розпачливо шарпався, зупинявся, гмукав, чухав потилицю, питав себе: а якщо туди? — чортихався (звискнувши шинами), ламав руки, а в пітьмі автосалону знай ширився мовчазний пакистанців *страх*, вона відчувала його фізично — до нудоти, чоловікові вимикалася з безпорадних рук, як линва, його праця, його нетривка зачіпка за цей примарний край, і дідько б узяв цю леді з дивним акцентом, якій забандюрилось невідь-куди пертися серед ночі, — їй було ніяково, хотілося все менше займати місця на задньому сидінні, за четвертим (!!!) дзвінком «дере» Рон зарепетував у трубку: де ви є? стійте на місці, just don't move, man, okey?[58] — по п'яти хвилинах з-за рогу вилетіло біле авто, вихопилась Ронова постать, рвонула на себе дверцята кеба, легені заповнив вогкий запах літньої ночі, а автосалон — Ронів розлючений клекіт (it's fifteen minutes drive, man, you just don't know your business![59]) — і, вилазячи на свободу, похитуючись на підборах (лівий босоніжок таки розповзався, не тримаючись купи), вона відчула мокротний пробульк у трусиках: почалося місячне. Абзац.

І забракло вже жалю до пакистанця — грошей він, з переляку, не взяв, ані цента, що ж, не тільки йому випав тяжкий день... Так і заснула в домі у Рона

58 Тільки не руштеся, чоловіче, гаразд?

59 Це п'ятнадцять хвилин їзди, чоловіче, ви просто нічого не тямите у своєму ділі!

144

й Марти з тою приклеєною до вуст, як лузга, ідіотичною посмішкою: ну-ну, подумалося перед сном, летить, таки явно летить моє золото — вже посипалися катастрофи! І чого ж дивувати, що першим відрухом у Кеннеді на вид коханого мужчини — стояв під стіночкою, якнайневинніше теревенячи собі з попутниками з київського рейсу, джинсова куртка, знайомий сивий йоржик, вона вгледіла його раніше, ніж він її, скільки разів прокручувала собі в уяві цю сцену! — був мимовільний укол неприязні — а він, ич який, розігнався живчиком, цьомнув у щічку, мовби нічого й не трапилося, мовби й не було цих півроку спустошливого ждання, ялового вигоряння оливи в черепку, і пояснень ніяких не належалося, за спиною, послушним пінґвіном настовбурчивши черевце, манячив Марк, ну вже ж, не до пояснень, знайомтеся, панство, — як усе глупо й не до ладу, зіжмакано якось виходить, я просто змучилася, треба відпочити, відіспатися, та й за ним же тяжка дорога, потім розберуся, потім, — а «потім», уже на місці, уже сам-на-сам, на напіврозпакованих валізках, і з'явилася — вигулькнула мов зоддалеки, не зачепивши все ще оглушених, защемлено ниючих інстинктів, — ота думка, котру з місця йому простосердо й видала, принесла й поклала до ніг, як пес закинуту палицю, — *знаєш, мені здається, ти відкритий до зла.* Стенувся, як од ножа, дивним був той недобрий спах в очах, вже колись бачений нею раніше, — на межі ви́щиреного осміху з нагло випертими з-під горішньої губи іклами, мов *щось інше* на мить прорізалося крізь його обведені безсонно запаленими бережками повіки, — був пізній вечір, і вони вперше вийшли пройтися, розглянутись по околиці, котра таємничо блимала кольоровими ліхтариками по дворах і городчиках, з прочинюваних дверей одноповерхових будиночків раз у раз вихоплювалися вибухи музики й сміху, біліли в ласкавій коричневій темені, щезаючи в її глибину, перехожі футболки, містечко не спало, охоплене молодечим передчуванням свята: наближався щорічний мистецький фестиваль, глянь, яка андерсенівська хатка, який цікавий шпиль! — все спочатку, все в нас починається спочатку, *я ще мушу піти до церкви й поставити свічку — що Бог поміг мені до тебе приїхати*, так-так, кивала вона, всі страхіття позаду, всі ці пожежі, розтрощені авта й тіла, безумні перельоти, ні фіґа собі історійка! одне лиш, на майбутнє — *знаєш, що мені здається? Тільки зрозумій мене правильно, не ображайся: що ти відкритий до зла*. Замірялася, з навичкою фахового викладацького занудства, розтлумачити докладніше: не те щоб воно було в тобі самому, але ти його, якимось чином, притягав, — але нічого пояснити не вийшло: він дико, несвітськи бликнув зором, а вийшли якраз на перехрестя — роззирнувся й рішуче скинув головою й перстом указующим: туди!

І з тої хвилини їх напав блуд.

Перед тим вони з годину кружляли довкола свого, ще необжитого пристановиська (він казав — *наша хатка*, і її заповняло при тому теплом внутрішнього усміху) — раз у раз вертаючись і наново розкручуючи маршрут в іншому напрямі, — і зненацька ціла околиця зробилась однаково нерозпізнаваною, і неясно було, в який бік додому. Збиті з плигу, минали перехрестя за перехрестям, світлофор за світлофором, всі орієнтири — псевдоґотичний шпиль, живопліт, майданчик із сміттєвими баками, який щоразу переходили, — щезли, мов провалилися в інший вимір, і по якімсь часі вона стала кидатися з розпитами — адресу все-таки пам'ятала — навперейми перехожим, котрі траплялись дедалі рідше, бо вже, либонь, повернуло за північ, підпилі студенти стенали плечима, пікнікуюча на траві party[60] в одному дворі нічого врозумливого не змогла відповісти, зате тут-таки, засперечавшись, ліворуч чи праворуч, пересварилася між собою, і ще довго по тому, як вони, дурнувато-всміхнено-sorry-вибачаючись, ушилися геть, лящав їм навздогін у нічній тиші, нетверезо сковзаючись на збігах приголосних, дівочий голос — нападався на якогось Джеррі, бо той, як завжди, «ні дем» не тямив і мав на увазі не ту вулицю, — вони явно заблукали задалеко, ну й сміхота, — розбавлена, вона перекладала йому дівулині ремствування, бідний Джеррі, — він, однак, замкнувся, не виявляв такого ж щенячого ентузіазму,

60 Вечірка.

ото, потішалася, було мене слухати, мене просторова орієнтація ще ніколи не підводила, — еге ж, що правда, то правда, тільки цим разом, золотце, підвела тебе інша орієнтація, ку-уди важливіша за просторову. Ще й як підвела.

Десь із годину це тривало — а тоді він, ставши як уритий, показав: живопліт! Вони цілий час товклися за кількадесят ярдів од нього. Знову «ввімкнулась» околиця, забовванівши знайомими обрисами. Як можна було бути такими сліпими, дивувалась вона. От-от, good question[61], як у них тут кажуть. Як можна було бути такою сліпою, бідна дурко? Засліпленою такою — в час, коли все говорило, волало, голосило до тебе прямою мовою? Ну й подумаєш, гордо скинула б ти головою, ні-і, тебе б не спинило — навіть аби вогняна рука, вилонившись із повітря, накреслила тобі перед носом на стіні письмове застереження, ти була закохана, ая, ти певна була, що *зможеш* («Я все можу!») зробити те, чого одній людині для іншої самотуж зробити — не під силу, рибцю. Не під силу. Хіба — і тут, як мовиться в газетних об'явах, можливі варіанти — хіба відкупивши її своїм власним життям: помінявшись долею. Красненько дякую, в мене були щодо мого життя трохи інші плани.

Шкода лиш, що всі вони якось разом утратили сенс...

61   Добре питання.

Першої їхньої ночі, тої безумної — фестивальної! — ночі з шаленим гоном назустріч блимній лавині відбитих в калюжах ліхтарень, із перелетами від одної нічної кнайпи до іншої, а врешті до цілком недвозначного, хто б подумав, що таке існує в провінції, заміського бордельчику (непримітний ззовні — хіба по припаркованих іномарках знати — будиночок о двох кімнатах «через сіни», в одній, човгаючи підошвами по дощаній підлозі, совгалося в танці тісно скупчене п'яне тирло, в другій, куди їм подали каву з лікером, стояли дві, прикриті зворушливо голубенькими пледиками койки, над ними висіли якісь похабнуваті літографії, — «Купрін! Чистий тобі Купрін!» — зареготала вона, попри фізичну втому — повертало на другу безсонну добу! — все-таки гостро, шампански збуджена жалюгідно-показною театральністю цієї атмосфери дешевого гріха, стрясанням музики за тонкою стінкою, якимось сливе що присоромленим поглядом жінки, котра внесла тацю з напоями, — у ванькирчику для гоцалок запам'яталася молодесенька, либонь чи не вісімнадцятилітня проститутка з розпущеним каштановим волоссям, вродлива тою до вогкости яскравою, нескаламучено пісенною вродою, котра ще трапляється між дівчат на Волині й Поділлю, — і, бідняточко, п'яна як хлющ: «Слухай, — чіплялася, зачувши щось незвичне, — як тебе звати? А мене Майя. Ви така красіва пара. Нє, серйозно», — а на поданий, на її вимогу, вогонь озивалася ґречною дівчинкою: «Подякувала», — те діалектне «Подякувала» — як учили вдома! — чомусь пробило до сліз щемливою, жалкою ніжністю: *«Вона ж іще дитя зовсім, ще й не тямить, що з нею»*, — ділилася з ним на зворотньому шляху в авті, — стенув плечима: *«А кого це валить? Промокашка, та й вже»*, — а однак «промокашка» була першою, хто впізнав між ними присутність наростаючої, самозароджуваної любови, всяка-бо любов на перших порах потребує свідків, потребує — батьківськи-розчуленого схвалення світом нововиниклого в ньому союзу двох, і світ ніколи не скупиться на об'яви благословення, на розвільжені погляди, на усміхи, з якими обертались на нас дядьки в привокзальному буфеті, куди ми вносили з вулиці, в летючому танцюристому ритмі, свіжий повів невидимого карнавалу, атмосферу лукавих перезирків, маленьких розиграшів, змовницьких чмихань над чимось страх кумедним, неспостережним для інших, — сяйні лелітки, рясно розсипане щасливе конфеті, що, опадаючи, повільно крутиться в повітрі ще й по тому, як за розпроміненою парочкою зачиняються двері, *«Яку запальничку хоч'?»* — *«Червону»*, — до бармена, з комічно-безрадно розкладеними руками: *«Вона сказала — червону»*, — і вже бармен сочиться, як спілий персик, розлитим по лицю усміхом співучасти й, наповняючи лямпки смолисто-тягучою, мов розтоплений бурштин, рідиною, переливає через верх, — о, світ любить закоханих, бо лиш вони в тупій монотонності буднів ще дають йому наздогад, що насправді він інакший, ліпший, ніж звик про себе думати, що досить іно простягнути руку, крутонути контакт — і все довкола заграє, замерехтить барвистими скельцями з дитячого калейдоскопа, засміється од повняви сил і пуститься в танок! — старенький вуличний фотограф на парковій лавочці, коло нього недвижною скіфською бабою тітка в сукняній кацавейці: «Сфотографіруйте оно молодих!» — «Та ну, — ронить він протягло, мало що не мрійно, — їм не до того, у них — Любов», — останнє слово вимовляється з великої літери, і ви, перезирнувшись, дружно кидаєтесь фотографуватися, кидаєтесь чи то обдаровувати стариків собою, чи, навпаки, дякувати їм за несподіване, як мокрий цілунок упалого на чоло листка, благословення, — потім він забирає ті знімки, і більше ти ніколи їх не побачиш, не виключено, що він подер їх на дрібні клаптики, вкинув у попільничку й підпалив — наостанці шпетненько підгрібши попілець у купку скорченим мізинцем, — що ж, серце моє, я не в претензії, постраждай трохи й ти: час було й тобі, по сороківці, відкрити, що не всі ми «промокашки» або, в кращому разі, «мишачі кохання», вибачай, але я вмію грати — тільки по-крупному, і коли вже не коханням — не-мишачим: справжнім! — то в усякому-будь разі, ніколи й ні в чім — не «промокашкою»: волію бути наждачком-с), — тої першої ночі, чи не тоді, на прибутній хвилі піднесення, зародився в ній десь усередині глибоко схований ледь іронічний, просмішкуватий холодок: блядка і блядка, з усіма приналежними атрибутами, мов якийсь сторонній сценарист загодя подбав про жанрову чистоту сюжету (та ще й, як хутко з'ясувалося, невдатна блядка!), — але ж ми, блін, таки недарма рєбята з крутим творчим потенціалом, нам раз плюнути — перетворити невдатну блядку на трагічну любов, довівши себе, по дорозі, до цілком суїцидального стану, — тільки по дев'ятьох (атож, дев'ятьох!) місяцях, в іншій країні й на іншому континенті, в ніч останньої сварки в кімнаті закинутого в міжгір'ї мотелю, — сперш тупцялись, курячи, на дерев'яній галереї, борюкалися стишеними, щоб нікого не збудити, голосами, далі прошкували — вже на повну гучність, ніби підняття голосу автоматично запускало в хід і ноги, — через паркінґ-лот, між полискуючих проти місяця тюленячими боками автомобілів, зупинка — протистояння, очі в очі — спалах! — шабельний зудар! — і от, розвернувшись, він біжить через усе подвір'я назад до кімнати пакувати речі, маленька, шпарко перебираюча голими, в шортах, ніжками, немов воскова, фігурка, — в ньому вже ґвинтом ґондзолилась — аж, здавалось, чути було, як скрегоче, — сама лиш схарапуджена гординя, палючий страх, аби, крий Боже, «люди не сказали» (ех, матушка провінція, як зітхав був Хвильовий!), що це *вона* його покинула, висмикнула з рідного ґрунту, перенесла через океан і покинула, оце, скажуть, кобіта! і тому, завдавши на плечі поспіхом напханого барахлом дорожнього мішка («*Губочку свою не забудь*», — подавала вона, наспівши, з-за спини), гавкнувши отим особливим брутальним, сварливим тоном, яким тільки й розмовляв із нею останньо: *Завтра лечу додому! Дякую за Америку!*» (хихикнула в душі, хоч і не до смішків було, прекрасно знаючи, що нікуди він не полетить, що до завтра-позавтра — творча ж особистість! — винайде собі якусь нову, не пов'язану з нею версію свого тут перебування, і так воно й сталося), — він попер у ніч — дві з половиною милі! з речами! — до тої осоружної майстерні (чи ж вона хоч відчинена поночі, чи так під кущиком там, пришелепок, і просидить до рана?), — ось тоді, зачинивши за ним двері зі змішаним відчуттям не-до-кінця-зіграного спектаклю, вогняного шворня «як-же-його-жити-далі», встромленого в мозок, і тим розтрушеним по тілі лихоманково-нудотним дрожем, що не пересідався вже понад тиждень, — ніби й справді була механічною лялькою, в якій усі коліщатка-шрубики поз'їжджали з пазів, так що ковтати могла тільки рідку страву, а спати кілька ночей поспіль не могла взагалі, — обернувшись до дзеркала, угледіла в ньому — проступив, підступив на поверхню, художньо викрививши вуста в рештках з'їденої помади! — той самий зимнувато-іронічний (блядка і блядка...), відчужений посміх: оце то сюжет! — прочитувалося з цього посміху, — мать його за лапу, ну й сюжет...

І тої ж ночі, щойно зосталася сама (попустило!), їй, уперше за цілий час від його приїзду, приснився *справжній* сон: попервах, ще на переході межи сном і явою — як він ото відходить від неї похилою кладкою вділ, потім навалився тісний еротичний кошмар: невидимі руки, багато рук пестили її звідусіль — настійно, гаряче, душно, і треба було зібрати всі сили, щоб випручатись, — і опинитися в величезній, з високим, як оперні залаштунки, склепінням, лунко-порожній залі, сям-там по-конструктивістському позаставлюваній, наче теж театральним реквізитом, — недбало задрапованими тумбами, постаментами з пап'є-маше, якимись драбинками, у схожому на темну печеру нефі височів подіум, і звідусюди зліталася, із свистючим шелестом крил і плащів, і мостилася по всіх тих підвищеннях Шляхта Тьми, — мелькали чорнострої, бічним зором вона розгледіла порослі кошлатою рудою вовною лаписька з курячими кігтями, вчеплені в виступ стіни, але головну її увагу прикувала височенна — аж лиця не розгледіти! — вбрана в чорну сутану постать на подіумі: чи не сам Князь, подумалось, об'явилися? Було аніскілечки не страшно — попри зовнішню ефектність, демонічне збіговисько не несло ніякої виразної загрози, радше справляло ритуал, чимось нагадуючи партзбори брежнєвської доби, і до неї було наставлене цілком приязно, брало в коло, приймаючи за свою, — і, походжаючи по заповненій ними залі з кінця в кінець, вона стала, впевнено хрестячись, читати на голос «Отченаш», а вони слухняно перетворювалися на клуби неоново-синьої пари і відлітали геть із піротехнічним сичанням, — тільки здоровенний кіт, обернувшись неоново-синьою тінню кота, ще скакав якийсь час із постамента на постамент, доки врешті здимів, та ще один захеканий ґном — з чорними крилами, в лижній шапочці ковпачком і з простацьки-вилицюватою (ніс бульбою!) круглою фізіономією — прилетів опізнившись, не второпавши, що до чого, сікнувся до неї: «Що, ще не починалось?» — спеціально для нього вона ще раз повторила «Отченаш», і він, трохи поогинавшись, мовби для годиться, і теж якось нестрашно понаскакувавши на неї, мусив, нічого не вдієш, і собі зробитись неоново-синім клубком і, хвацько свиснувши, відлетіти. В тому сні вперше дихнуло полегкістю — вона ніби вернулась до себе, і, сама-одна в спорожнілій залі, не подумала — зрозуміла: значить, несерйозно це все — нащот самогубства. Ще несерйозно.

Леді й джентльмени, мені трохи мулько зачіпати цю тему, — розуміється, вона надається радше для проповіді, ніж для солідного наукового виступу, і я вже бачу, як, один по одному, ви залишаєте аудиторію, саркастично підібгавши вуста: crazy stuff[62], типовий

62 Бридня.

Slavic mysticism, грюкають відкидні сидіння, — одну хвилиночку, я прошу ще тільки хвилиночку уваги, в мене навіть, комільфотности ради, цитата осьо наготована — перепрошую, що не з Дерріда, Фуко чи Лакана, а якраз навпаки, з Якоба Бьоме: коли диявола спитали, чому він залишив небеса, він відповів, що хотів бути *автором*.

Леді й джентльмени, в цій країні, котра від початків була людським творивом і де авторство кожної людини над власною судьбою є підставовим постулатом виховання (розгортаю газетну витинку: літня пара мільйонерів, Брауни — Річард, 79 років, і Гелен, 76 років, — отруїлася чадним газом у себе в гаражі, попередньо записавши цілий маєток — 10 мільйонів доларів, неабищицю! — на християнське доброчинство, а друзям розіславши пояснювальні листи: обоє тяжко нездужали, тож, зваживши тверезо, вирішили, замість безпотрібно тринькати загарований упродовж життя статок на лікарів та медичну обслугу, ліпше допомогти молодим людям ставати на ноги, — чи їх також поховають за церковною огорожею, а чи ті, хто вжиткуватиме з їхніх мільйонів, одмолять-таки в Бога їхні душі? Темне це діло — так розпоряджатися собою: був в Освенцімі такий пастор Кольбе, який в часі чергової «чистки» запропонував на розстріл себе замість одного поляка, бо в того лишалося вдома двоє синів, — есесівець, хмикнувши, прийняв заміну, і той чоловік вижив і повернувся до себе в Варшаву — щоб довідатися: обидва його сини загинули під час бомбардування, от тобі й маєш! — ах, пасторе Кольбе, Ви вплуталися не в своє діло, Ви схотіли стати автором — і порушили правила гри, бо той чоловік таки мав загинути, і хтозна, може, аби не влізли Ви, його хлопці зосталися б жити, і я щиро потерпаю, так-так, не смійтеся — потерпаю за долю Браунівських мільйонів — чи справді вони принесуть кому-небудь щасливіший жереб, а чи, крий Боже, який-небудь Браунівський стипендіат згорить живцем під час пожежі в хімічній лабораторії, до якої дістався на той кошт, а ще інший, вивчившись в Італії на співака, по роках успіху й слави переріже собі горлянку, коли стратить голос? Шкода, що ваша країна, властиво, не знала порядної війни — війна дає змогу багато дечого зрозуміти про життя і смерть, бо поодинчі долі, хоч які бувають промовисті, звичайно ніколи нічого не навчають, рік тому, пригадую, в останніх вістях майнула прекумедна, якщо дозволите так висловитись, історія: у Нью-Йорку якийсь хлоп викинувся з вікна хмарочоса, але приземлився на дах припаркованого автомобіля цілим і неушкодженим, тож, не примирившися з невдачею — видать, теж був навчений змалечку домагатися свого хоч хай би там що, — попхався назад на той самий стонадцятий поверх і, уявіть, викинувся вдруге, за цим разом зломивши руку, ногу і ще щось там собі ушкодивши, але так і не потрапив, сарака, поквитатися з життям, — зізнаймося, леді й джентльмени, що в глибині душі ми трохи діткнуті безецністю цього нахаби — чи то грабіжника, що натинався висадити двері, од яких не мав ключа, чи розбещеної дитини, котра, тупаючи ніжкою, верещить: «Дай!» — ну й спіймав облизня, і добре йому так), — в цій країні, леді й джентльмени, з її дедалі рясніше множеними по підпіллю сатаністичними сектами, а на поверхні — психіатричними кабінетами, чи не час гарненько застановитися над питанням *авторських прав* — над тим, що ми дійсно *можемо*, а до чого нам зась?

Хотіти бути автором — творити — зазіхнути на виключну прерогативу Бога. Бо ніхто з нас насправді не творить, пані й панове, — всі ми пам'ятаємо приклад на творче мислення зі шкільного підручника психології — русалка, напівжінка-напівриба, — яке вбожество, коли вдуматися, яка різницька фантазія — кусень звідтам, кусень звідтам, зліпили докупи — й запишалися: куди ж пак, творці! А ex nihilo — не пробували? Слабо́? То ж то й ба... Все, що нам дано, — як дітям на забавку — то готові порізнені скалочки дійсности, фрагменти, подробиці, кольорові фішки якоїсь великої, неосяжної головоломки, по яких рачкуємо, не підводячи зору, обмацуємо, облизуємо, обнюхуємо собі в кайф, цілком безневинне й приємне заняття, — тільки штука в тому, що фішки часом (го, ще й як часто, і скільком, і навіть не конче ґеніям!) вдається стулити за невідь-звідки-взятим, нікому-неозброєним-оком-невидним *планом*, у якому знати пульсацію самостійного, немовби вже й органічного життя. Тоді-то врубується наша авторська (ха-ха!) гординя: дмемось, ґоношимось і уявляємо себе творцями, — а то просто відслонивсь був нам на шпаринку окрайчик первісного *генерального* плану, того самого, за яким було колись *сотворено* світ — з нічого, цільним і прекрасним, і від якого людство (коли? на якому доісторичному повороті? в якій піренейській печері?) — відступилося, й пам'ять (таку нетривку! таку бентежно-зникому! а проте — як жити, коли не стане й тієї?) про ту початкову сліпучу цілість зберігають, опріч релігії, тільки мистецтво й любов.

(Я гадаю, мали рацію всі оті клерикальні ригористи — іконокласти, пуритани та іже з ними, — що сама ідея ікони чи храмової скульптури *профанує* божество, — спілка релігії з мистецтвом дійсно є з боку релігії компроміс, неминуча поступка — від незмоги — уже! — встановити прямий контакт, не вдаючись до підсунутих змислам, вульгарно-наочних фішок-фіфішок: облуплена позолота на дошці, згризений негодою мармуровий ніс янгола, грубо розцяцькована статуетка в пістрявих лахманах. Правдоподібно, колись прямий контакт — був, але що вже тепер за ним побиватися... Релігія, зробившись соціальним інститутом, зійшла на пси, — в церкві, куди я поволіклася одного дня в надії трошки розсіяти обложну темну хмару, що знай з дня на день випікала голову, не пропускаючи жодної прохолодної думки, панував виразний дух замкненої спільноти: цікаві позирки на чужинку, товариське пристоювання гуртами на ґанку після служби, витрішки, смішки, перемовляння, обмін новинами — люди приходили як на свого роду вечірку — to socialize[63], і молитися в них перед очима було якось непристойно). *Допуск до плану за нами ще зберігається,* — індивідуальний допуск, бо від самого плану людство за останні кілька століть сягнистою ступою відкочується все далі й далі (чи не з доби Відродження почавши, з того Мірандолиного зухвалого: «Чоловіче! Адаме! Я поставив тебе у центр всесвіту», — ну й стій, правцем би тебе поставило, і кожен сухорукий комплексант пнеться в Адами, а ми потім чухмаримо потилицю, не в змозі підрахувати мільйони забитих: чи то двадцять, чи сорок, чи всі шістдесят?), — а пам'ять про втрачену божисту ясність дра-ажнить, ой дражнить, раз у раз проблимуючи заманкою, та ба, тільки-но підступаємося ближче, гульк — аж при вході нас вже підстерігає, потираючи лапи, Той, хто хотів бути автором, — йому кортить туди, вклинитись і заволодіти, а самому йому слабо, іно на нашому карку, на карку *допущених* він і годен туди в'їхати, і стокрот безпечніше для нас — нікуди не сунутися, забути за всякий допуск та грабатися собі чемненько

63   Спілкуватися, бавитися в товаристві.

в фішках, витворюючи з них нові й нові безпотрібні комбінації, — вишиковуючи в ряд бляшанки з-під супу «Кемпбелл», виставляючи на б'єннале ґумові стільці, повзувані в жіночі черевички, видуваючи на сторінки часописів рясні розсипи повітряних бульбашок — однакових зневагомлених слів, часом виходить потішно, кілометри текстів (еге ж, уже не віршів — *текстів*) про першу поїздку на велосипеді, про перше місячне а чи й геть ні про що, — нічого, interesting[64], ґелґоче, киваючи головами, гусяче стадо критиків, університетських професорів, докторів літератури, перепрошую, якщо образила когось із присутніх, — кажуть, якщо посадити три мавпи за друкарськими машинками, то в вічності вони мають шанси виклацати «Гамлета», леді й джентльмени, відкрию вам страшну таємницю: мистецтво в нашому столітті також потихеньку сходить на пси — тому що *боїться*.

Тільки любов боронить від страху, тільки вона єдина здатна нас ослонити, і якщо ми не несемо її в собі, тоді... Тоді... (Я направду не знаю, *щó* тоді, я не знаю, що буде далі з тим чоловіком, які *ще* руйнування спричинить чорний смерч, в осерді котрого мотлошить його зціплену кремінним стиском фосфорично-бліду фігурку, — «чортяче весілля» на курних осінніх дорогах, казала мені малій бабуся: побачиш — оступися, сама вона ще знала

64 Цікаво.

кинути в вихра ножем навхрест, і на ножі показувалася кров, а ми тепер спромагаємося хіба засвинячити кухонним різаком у коханого мужчину, — жест воно ніби той самий — жест-копія, жест-імітація, рефлекс родової пам'яти з убитим всередині смислом, — жест, яким, замість відгородитися, тручаєш себе з розмаху в самий вир «чортячого весілля»). Не треба б, ох не треба гнатись на холодний зоряний блиск *безлюбої* краси: не тих спільників собі на цій дорозі єднаємо.

«*О сліпуче, прекрасне і дике! / Грай вогнями, заводь і мани / На бистрінь, на невидимі ріки — / Тільки ж — Господи! — не обмани: / Не осунься з-під стіп сухостоєм, / В мить на грані жаского злиття / З твоїм сяйвом — не стань пустотою: / Трухлим духом сипкого сміття / (Як заманка, личкована чортом / Ніби скарб...) І у пеклі, на дні, / Буде жовто згоряти ніщота / Моїх нидом звакованих днів!.. / Кожну кару прийму, як розраду, — / Тільки, сили небесні, не це: / Ощадіть од Вкраїнського Аду — / Мусового томління живцем / Без надії, без дії, без часу, / В порожнечі, на безвісті — там, / Де ще пріють по сотнях нещасних / Рештки того, що мало б — життям, / Стрепенувшись, рвонутись зі шкіри, / Здерши в кров її з стіп і долонь, — / Як стратенча душа з-під сокири — / На безсмертний, летючий вогонь*», — отаке я писала, допросилася називається, теж знайшовся — Данте в спідниці! У Данте-бо був — не лише Верґілій, у нього була — Беатріче. І якщо не живе в нас повсякчас любов, то, замість розширятись, дедалі вужчає тунель, котрим захоплено женемось, і все тяжче стає протискатися, і вже не летимо, як видавалося попервах, а повземо надсадно, викашлюючи ошмаття власних легень і того, що колись називалося даром, та, Боже мій, і *було* ж даром! — і сочимося на полотна, як розчавлені комашки, барвними плямами власної отрути, і давимося дохлими словами, що тхнуть гнилизною й лікарняною карболкою, і починають з нами коїтися всякі прикрі речі, мелькають клініки й тюрми (це вже як кому пощастить!), і от уже іно й зостається, що — скочити з мосту (Пауль Целян), зашморгнути собі горло в сінях чужого дому (Маріна Цвєтаєва), упхнути голову в газову плиту (Сільвія Плат), зачинитися в гаражі, запустивши на повну потужність вихлопну трубу автомобіля (Енн Секстон), запливти в море якнайдалі (Інгрід Йонкер), перелік триває, to be continued[65], ви що ж, уважаєте, це нормально, так із ними, піїтами й прочими, й повинно бути? Але ж із ними щодалі, то гірше, ніхто вже *не доживає* до свого «Фауста», що ж ви гадаєте, це випадковість, гадаєте — їм просто хисту менше дано?.. Зменшуються їхні шанси — зменшуються шанси кожного з вас.

Тільки любов боронить од страху. Але хто (що) вборонить од страху саму любов?

65   Далі буде.

(І все більшає, більшає з року в рік — секс-шопів, механічних причандалів, о переваги технологічної цивілізації, секс по телефону, мене також колись так мали — удома, в себе в хаті, не де: обставили як дєвочку, так і не довідалася хто, — сперту змінений на шепіт жіночий голос — прийняла за товаришку, теж із добрячими мухами в голові дівку, «Олька? Ти?» — ніяка то була не Олька, як показалося потім, хоч тамте ніби потвердило: еге, я, — й стало шелестіти: вляпалася, дзвоню з чужої квартири, тут двоє, хочуть мене зґвалтувати, кажуть — або в попу, або в рот, ось він уже йде, я боюсь, «Де ти є? Я викличу міліцію, скажи адресу!» — але не-Олька [хоч це показалося щойно потім] вже щезла, натомість озвався, дишучи загрозою, молодий чоловічий голос: «Ты ей подруга, да? Ты хочешь, чтобы я ее не трогал? Так постони мне», — чого тільки не зробиш задля дорогої подруги, фу, гидота, — спробувала врубати почуття гумору, нічого, помоглося, все одно що пісеньку попросили б заспівати, але коли, на все-таки безпорадно-болісному зойкові приниження [ти кричиш — од наруги, а вони думають — то від насолоди, а може, й не думають, може, якраз від твого болю вони й кінчають?], голос різко кинув: «Всьо» й у слухавці закапотіли, як із крана, короткі гудки, то, втираючи змокрілого лоба, почувалася таки, смішки смішками, але зґвалтованою, — молодий же хлоп, йолки-палки, він що, також *боявся* живої жінки?)

Страх починався рано. Страх передавався у спадок — боятись належало всіх чужих (кожен, хто виявляв до тебе зацікавлення, був насправді підісланий КГБ, аби вивідати, про що у вас розмовляється вдома, а потім знову прийдуть ті дяді й посадять татка в тюрму, — особливо підозрілими були ті, хто заводив вільнодумні балачки: класі в дев'ятому на міській олімпіаді з літератури познайомилася з окуляристим відмінником із математичної школи — він мав рідкісну для підлітка шкіру — як щойно очищений персик, і, під ненормально товстими окулярами, видно було в профіль, — темні й густі, мов шовк, дівочі вії, а сміючись, напружувався цілим тілом, як то буває з дуже нервовими інтелігентними хлопчиками, котрих не пускають у двір гратися самих, а виводять на прогулянку на повідочку санчат, замотавши вище носа вовняним кашне, — такі хлопчики завжди в тебе закохувалися, на те не було ради, а втім, вони багато читали й любили обговорювати прочитані книжки, і відмінник з математичної школи, невміло-старомодно, наче протезом, підтримуючи тебе на сковзанках під лікоть — була зима, і всніжені хідники щокрок поблискували підступно вислизґаною чорнотою, — мав необережність згадати «украинского писателя Винниченко — не читала?» — тебе з місця вкинуло в жар: оце ж і є те, про що попереджали тато з мамою! — з ленінською хитринкою в очах [головне, що сама відчувала її як ленінську!], з відтяжечкою такою лінивою, мовляв, ну-ну, давай далі, я тебе все'дно навиліт бачу, — відмовила, що — «нет, не читала», і, дочекавшись, аж відмінник видав усе, що знав, — і про УНР, і про еміґрацію [слухала вже не сумніваючись, *хто* перед нею, солодко обмираючи од близької небезпеки], — приморозила його хіба ж так — карбуючи склади, барабанним піонервожатським голосом [«Атряд! Рравняйсь! Смір-на!»] освідчивши, що її не цікавлять усякі там еміґрантські покидьки, що в час, коли міжнародна обстановка така складна й напружена, і що її завжди обурювала молодь, яка слухає різні радіоголоси, — він вирячився на неї обома парами скляних очей і, здавалось, забув дихати: йшов їжачок по лісі, забувсь як дихати і здох, — а щоб знав! Задоволена була з себе як ніколи: перший іспит на дорослість — і не послизнулась!). Ні, вона завжди казала, що не хотіла б іще раз пережити своє отроцтво, — оті натужні, несвідомі спроби вирватись — із глухо забетонованого, спертого всередині родинного гнізда, за мурами якого їдко клубочився страх, болотяна млака, де іно оступись, видай себе — і шубовснеш у смертну отхлань (по радіо, яке батько слухав вечорами, припавши вухом, щільно втискаючись у приймача, що оглушило харчав, часом прориваючись різким, небезпечно наростаючим металічним свистом, передавали мемуари вмираючого Снєгірьова, перераховувались оперовані нутрощі, відбиті нирки й міхурі, інсулінові шоки, ґвалтом вставлені зонди, калюжі крови й блювотиння на цементних долівках — зведення з різницької, розрубка м'ясних туш: Марченко, Стус, Попадюк, щокілька тижнів нові імена, молоді й красиві, не набагато й старші за тебе буйночубі хлопці, ти мріяла про них, як ровесниці про кіноакторів, ось він вийде на волю, пошрамований і мужній, і ми зустрінемось, — тільки вони ніколи не виходили, ефір повнився їхнім конанням, тато сидів по цей бік і слухав, з року в рік, відколи став безробітним, сидів у хаті й слухав радіо), — вириватись не було куди, скрізь були комсомольські збори, політзаняття й чужа мова, туди — як чотирилітньою на дзиґлик насеред кімнати, розказати дядям і тьотям віршика, — можна було виходити тільки на те, щоб дзвінким магнітофоном видати їм від них-таки й вивчене, і тільки в цьому був ґарант *безпеки* — золота медаль, червоний диплом, просування «по вєрьовочкє», мать його за лапу, скільки непотрібу перепустила через голову! — а в п'ятнадцять років звалилася з депресією, скаржилася на таємничі болі в шлунку, татко збився з ніг, тягаючи по лікарях, які нічого не знаходили, цілими днями валялася в постелі й істерично плакала од леда слова — таткова дівчинка, очко в лобі, то він чував, розпластавши крила, над її першою менструацією, розважно оповідав їй, що це дуже добре, так має бути з усіма дівчатками, лежи, не вставай, — подавав у постіль, як хворій, покраяні скибочками яблука на блюдці, і вона лежала — зібгана й занишкла, наполохана новим відчуттям, коли — і соромно од *відкритости* своєї тайни — ну але які ж тайни можуть бути од татка? — і, і — якось щемно-сторожко, незахищено-непевно: відчуття, що повториться із втратою дівоцтва (якого потрапить здихатися аж після таткової смерті!), і потім, щоразу, — те саме відчуття навічної дочірньої *покори*, остаточности родового улягання, од чого мужики, не в'їхавши, до чого воно, розуміється, шаліють (*«Ох як ти класно даєш!»*), а потім ти їх кидаєш. Рвалася, авжеж рвалася, ще й як! — вся в гострих ліктях самочинного розростання, до сліз мучений власною ваторопкуватістю прищавий підліток, одні колготки, вічно в бурих рубцях нитяних швів, і одна сукенка — шкільна формена, пелюстково-біло витерта на ліктях, на шкільні вечори ходила — а ходила ревно, як мусульманин до мечеті! — в позиченій блузці й куценькій, піонерській ще, білий-верх-чорний-низ, спідничці, й поїдом їлась гіркою горяччю, дивлячись на цілком уже «по-дорослому» прикинутих, у «дорослих» перукарнях підстрижених, вибухлих повним цвітом, як садок вишневий коло хати, однокласниць — у зблисках перламутрової помади й чорних махаонах «ланкомівських» вій — десять керебе коштував синьо-голубий патрончик такої туші, а мамина зарплата, на яку жили втрьох, виносила сто п'ятдесят, ну й що було робити, як не *вкрасти* — в роздягалці, з легкомисно розкритого портфеля королеви старших класів, — правда, дешевший тюбик, польський, і наполовину зужитий, заспокоювала себе, що для тамтої то не втрата, і так воно й було, а все одно дев'ятнадцяте століття, всеодно Жанвальжанівська класична булка й Козетта під вітриною лялькової крамниці, і сором, і страх, і тайна, ганебна й солодка, як екзгибіціоністські вправи на самоті перед дзеркалом, — невміло фарбувалась у шкільному туалеті, розвезькуючи попід очима чорні віхтики, а після вечора там-таки змивала, люто віддирала туш холодною водою з почервонілих повік: страшно здумати, що було б, аби татко побачив, — татко, який так боявся за неї, який збирав по людях досьє на кожну з її подружок: всі були розбещені, курили й цілувалися з хлопцями, татко верещав, буряковіючи на виду, і вона, слід віддати їй належне, так само верещала у відповідь, і ридала у ванні — надто після того пам'ятного разу, коли він ударив її в обличчя просто на вулиці, на трамвайній зупинці, бо вона кудись запропастилась, і він вирішив, що вона од нього втікає, — але вона вернулась, вона завжди слухняно верталась, бо втікати не було куди, і він, не сказавши ні слова, з розмаху впік її по щоці, — розуміється, потім були обійми-облизування, поцілунки-перепросини, «моє маленьке», «доцічок мій золотий», — по кількох, розжарених в очу на червоно годинах лементу, ридань, грюкань дверми, супроводжуваних шамотнявою безпорадного маминого втручання, — бо мами за тим усім не проглядалося, мама взагалі була фригідна, ясне діло, заекранована, мов чорне світловідпихальне шкло (потім, у перших місяцях твого шлюбу, вона всунеться раз уранці до кімнати молодят із весело диркочучим будильником: вставайте, сніданок готовий! — акурат у хвилину-коли, і по вибухлім скандалі плакатиме сиріткою в кухні, налякана й безпомічна: хотіла ж як ліпше! — так що, вгамувавшись і відтрусившись схарапудженим тілом, ти ж її, врешті-решт, і потішатимеш), — а *яка*, цікаво, вона мала бути, як не фригідна, — дитина голоду (в тридцять третьому, трирічною вже, перестала ходити, і бабця їздила на перекладних товарняках до Москви, міняти своє віно — дві рясні низки середземноморських перлів — на дві торбини сухарів), дитина, вихарчувана на підібраних у полі колосках, за котрі колгоспний об'їжджчик, раз заскочивши, шмагонув батогом по щоці — досі знати тонку ниточку білястої близни, і на тім, Богу дякувати, окошилося, бо батько, твій цебто дід, уже мив золото десь межи сопок, за яких півтора десятки літ і *твій* батько, а її майбутній муж, те саме робитиме, а їй — нічого, минулися ті колосочки, і наїлася згодом усмак, годочків так за двадцять, вже як, скінчивши університет, почала працювати, — а американські совєтознавці зоддалеки все ніяк не доглупаються, чого в цьому поколінні стільки нестатурно-гладких кобіт, знай Фромма з Юнґом між рядків на світло перечитують, — жерти їм у двадцять хотілося, жерти й більше нічого! — давитися студентським пайковим хлібом, напихати в рота в обі жмені, підбираючи крихти, що таке клітор, вони за ввесь вік так і не дізналися (вперше ти замислилася над їхнім жеребом раз в аптеці: викинули жіночі пакети, черга, всуціль із молодих дівок, шамко напаковувала торбинки, а бабульки, підступаючись, кротко перепитували: «Дєвочкі, а што в етіх пакєтах?» — «Женскіє пакєти, женскіє!» — презирливо відгризалися дєвочкі: не для вас, мовляв, — бабульки збентежено лупали очима: не розуміли), — так що мама була невинна, аки агнець, чи радше діва Марія (щось у ній справді вчувалось мадоннисте, на фотознімках кінця п'ятдесятих — час, коли нарешті *наїлися*, — така світиться ніжна дівчинка в пуклях, очей не відвести! — личко делікатне, довгобразе, з гостреньким носиком — затрачений, лагідний, мовби внутрішнім усміхом розвиднений тип краси, козацький бароковий портрет упродовж трьох століть: Роксолана — Варвара Апостол — Варвара Лангишівна, — ех, була колись Гетьманщина, а тепер пропала! — кругловидо-плахтянисті, ой-під-вишнею-під-черешнею кралі ще водяться, а от тих уже Біг дасть, уже й твоя нещаслива врода на два порядки грубіша, вульгарніша — не забувай додати: була!), — мама, пташок співочий, ягничка офірна, дисертацію з поетики дописувала в комунальній «хрущовці», поки їй на кухні сусідка — кухарка з робочої столовки, та, що мала «управлять государством» (мати-одиначка — п'ятеро дітей од п'ятьох мужчин), підкидала в каструлю з борщем ганчірки й вирвані зуби (либонь, молочні — котрогось із потомства?), — але дисертацію дописала-таки, акурат на сімдесят третій рік із нею підоспіла, коли її, як жону неблагонадьожного, з дисертацією на оберемку з аспірантури й засвистали козаченьки, так що день *твого* захисту (на дідька він тобі був здався!) був її святом, тішилась як дитина, «от аби тільки татко був живий!» — а як, на ласку Божу, чим він міг би бути живий — викинутий на саме дно колодязя й по дорозі спазматично вчеплений за цямрини: аби тільки не назад у табір! — живцем замурований у чотиристінні — слухати радіо, курити в кватирку й з жахом дивитись, як невідворотно викликається з-під нього, пре з-під ляди, самою силою органічного росту пхана, єдина жінка в його житті — та, котру сам породив? «*Задери сорочечку, я хочу подивитись, як ти формуєшся*» (і чи не та сама заклопотано-розпорядча інтонація — «*Повернись, я тебе хочу ще ззаду взяти*», — через двадцять років, щойно зачута, сколихне в тобі давнозатрачене відчуття дому?), — і вже не важить, що ніколи не любила ззаду, не важить, що першої миті відмовилась була задирати сорочечку, спалахнувши недитячою уразою, — назустріч тихому й по-новому глибокому, вологому зворушенню: дитино моя, це ж я, твій тато! — у висліді чого сорочечка таки, нікуди не дінешся, задиралася — стидкувато-бентежне підставляння, перший досвід, куди сильніший, ніж якесь там притискання коліньми в класі під партою, — одначе рвалася, Господи, як рвалася, — як стратенча душа з-під сокири, але — куди? До ровесників, танці-шманці, рок-ансамблі, спортивні змагання й перші сліпі обмацування в темряві спортзалу, — смішно, нікому з них навіть розповісти не можна було, як, на третій рік, *тамті* таки прийшли, справдився нарешті батьківський страх, бо страх, він завжди справджується, — вдертим у чотиристіння вихором смачного шкірястого порипу портупей, бадьорого надвірнього холоду, відчуттям наглої *заповнености* кімнати — трійко рум'яних з морозу, здорових самців, ляпання посвідченнями, «собирайтесь», татко метушливо шукав якісь папери, щось перекладаючи на столі тремтячими руками, привалений і жалюгідний, і ти виплигнула на них із кутка, розпростуючи спинку прищавої блідо-зеленої підлітковости, — здушенокрикливе, зі звислим через мордочку пасмом, і залящало: «как вы смеете, по какому праву», — вийшло не вельми вдало, ба й геть невдало, зрізали тебе тамті (офіцерик молодюсінький, з вусиками ниточкою, старалося, падло, ма'ть, перше відповідальне завдання дістав, де ж пак — арешт антісовєтчика!) — що ногою відопхнули («не ваше дело, вы еще слишком молоды»), і батьки (з обличчями однаково мурими, наче під шкіру фотопапір підкладено) теж, іно ти поскочила, з жахом зашипіли-замахализацитькали, — але перша невдача тебе не зупинила, ти, по правді, таки, добре той казав, — відважна жінка, золотце: згодом, уже студенткою, році десь

у вісімдесятому, вибравшись із зайчиком-залицяль-
ником у більшій компашці до театру, на якусь хітову
московську гастроль, — навмання, бо квитків не мали,
регочучись на все горло, перекидаючись сніжками
реплік, штурмували знадвору касу з тлумом таких,
як самі: передноворічний вечір, молодість, ніхто
не хотів розходитися, і тому з'явилися менти, —
привалила зграя воронків, в'оралися в гурму сірі
шинелі, заходили, здіймаючи по ній буруни, і чорт
його зна, як воно так скоїлося: ще перед хвилею
все було ніби — пригода, жарт, ну не потрапили б
досередини, то поїхали б на Хрещатик каву пити,
подумаєш, велике діло! — а вже зайчикового дру-
га — найушнипливішого з компанії, невеличкого
й верткого, як ґвинт, такий, ще трохи наддавши, мо',
й проліз би! — засікши й виловивши із збитого
в купу розбутілого стада, волікли попід пахи двоє
гевалів в уніформі, і він не діставав до асфальту но-
гами, рештки товариства розгублено посунули слі-
дом, не знаючи, що почати, а він уже лебедів до
тамтих жалібно: «Рєбята, ну бросьтє, ну отпустітє,
рєбята», ноги пручалися, смикаючись у повітрі ок-
ремо від тулуба, твій зайчик, шафа двометрова,
плівсь як сомнамбула й знай мимрив — та ні, та де,
та нічо' вони йому не зроблять, — а воронок уже
стояв напоготові, з роззяпленим заднім отвором,
і ти знову — відважна жінка! — плигонула під ко-
леса, пантерячим ривком на цей раз уже красивого
й сильного тіла, довгонога блискавка в короткому

кожушку, аж тамтих на два боки розкидало — а вже впихали чувака в машину: «Мальчікі, — кресонула навідлі голосом, аж забриніло, — да што ж ви ето, в самом дєлє, а?!» — і вирвала хлопця: «мальчікі», бугаяки, розімкнули лаву, якось обм'якли, відступилися, забубоніли щось виправдальне на кшталт «а чєво он», — ага, опирався, ще й, либонь, щось глузливе бовкнув, — підоспів зайчик, згребли потерпілого на оберемок, давай, Боже, ноги! (і першої вашої ночі з тим чоловіком, коли він хвацько вженеться під «цеглину» і його перепинять менти — маленький і зігнутий, у враз звислій зужитим презервативом розхристаній шкірянці, щось пояснюватиме їм надворі, розводячи руками, та хлопці, та я ж що, я ж нічого, — ти, посидівши трошки в авті, рішуче відчиниш дверцята, виступиш, зацокаєш підборами по бруку, трусонеш куделею, перебравши на себе жадібно засвічені погляди впережаних портупеями самців, засмієшся, хоч прикурюй од такого висміху: «Що сталося, хлопці? Ми нічого не порушили», — і замнеться ментрега, якось разом відрине, розвіється в повітрі, ну гаразд уже, їдьте, та вважайте надалі, — а на ранок, впиваючись у тебе розіскреними очима, як лежатимеш на тапчанчику, напівприкрита пледом, він прокаже, повільно, з прицмоком розкуштовуючи торжествуючий усміх: «*А ти крута баба — зразу вискочила ментам морду бити... З тобою можна в развєдку йти*», — і тебе затопить дітвацькою повінню гордощів: нарешті, нарешті це помічено — бо він сам *із тих*, — наче вийшов на волю, по всіх цих роках, і ви зустрілися, — бо більше, ніж брат, бо вітчизна і дім...). Страх уповзав знадвору крізь стіни їдким протягом, а вдома було тепло, аж душно, юнацька депресія, ні, неврастенія, якісь дурні таблетки, вічне «тридцять сім і два», і плач по кільканадцять разів на добу, лікарка веліла їй роздягатись, а таткові вийти — «Девочка уже большая», — її спантеличило, що татко, замість обстоювати свої права — це ж бо *його* дитину мали оглядати! — принижено чапав до виходу, збентежений і змалілий, мов заскочений на гарячому (найцікавіше, з незворушністю хірурга міркує вона собі, що він же був красивий мужик, говіркий і дотепний, охочий до життя, і жінкам подобався, і розпрекрасно знайшлось би де оскоромитись і поза домом, що ж він цноту свою так тяжко беріг, як галицька стара панна, чи не тому, що мама вийшла за нього — ще не реабілітованого, і він цілий вік внутрішньо кулився, боячись почути од неї вголос те, чим потай і так виїдав собі думки, — що занапастив їй життя, а зостатися сам, *без неї* — знов-таки, боявся?), — а судили його, цим разом, усього тільки за тунеядство (всього тільки добу протримавши в КПЗ), післали всього тільки на стройку вахтером, він сидів у засклей будці, відчиняв браму перед самоскидами, а решту часу читав Бруно Шульца, про якого колись був замірявся написати книжку, та так і не написав (мав добрий смак до літератури, лиш еротики не переносив на дух, як католицький цензор!), — його панічний страх перед її невкоськуваним ростом — «ку-уди?!» — угніжджувався в тілі й помаленьку підпилював нутрощі тупою пилкою, але рак продіагностували аж тоді, коли й оперувати виявилось запізно, ціла статева система була вражена, і простата, й сім'яники (мама щодня терла моркву йому на сік і чавила вручну, зібгавши січку в марлевий вузлик, її пальці колишньої гітаристки набули невідмивно-жовтяничного кольору й насилу розгиналися, а доцік бігав ночами до автомата на розі викликати «швидку», і коли мама, з білими од жаху очима, прийшовши раз із лікарні, сповістила їй діагноз, який від татка вже належало укривати, то першим відрухом думки [котрого звідтоді ніколи собі не простить!], було нещадне й зимне, як крізь зціплені зуби: слава Богу!), — по суті, то було не що як війна — війна, в якій не може бути переможців, бо, вичерпавши всі засоби домогтися свого (придавити коліном, упхати в люлю, «вона в нас іще зовсім дитина», хотілося хлопчика, але нічого, й дівчинка вдалася на славу, от вона *їм усім* за нас і покаже!), — мужчина вдається до останнього засобу — смерти, і це, нікуди не дінешся, переконує: ти нарешті остаточно стаєш по його стороні. І твоє отроцтво, якого, відхрещувалась, нізащо не хотіла б іще раз пережити, наздоганяє тебе через двадцять років, випускає з найглухіших підвальних закапелків твоєї істоти сплакану й зацьковану дівчинку-підлітка, що заповняє тебе цілком, і лунко, розкотисто регочеться: а що, втекла?..

Може, й справді — *раби не повинні родити дітей*, питає вона себе, мляво втупившись у вікно: вночі впав перший сніг, але тепер розтанув, і тільки вітрові шиби припаркованих уздовж хідника авт біліють телячими лисинками. По хіднику пританцьовуючою ступою бреде негр у яро-червоній куртці й синій бейсбольній кепці, сховавши руки в кишені: похолоднішало. Бо що є рабство, як не інфікованість страхом, — вона підсовує під лікоть розгорнутого блокнота, напівсписаного такого ґатунку афоризмами, від яких — ні тепло, ні холодно, як у підручнику з формальної логіки. Рабство є інфікованість страхом. А страх убиває любов. А без любови — і діти, і вірші, й картини — все робиться вагітне смертю. П'ять балів, дєвушка. You have completed your research[66].

Леді й джентльмени — ні, наразі тільки леді, точніше, одна леді: Донна зі східноєвропейських студій, одна з небагатьох, із ким ти за цей час заприязнилась, рослява напівірландка-напівслов'янська мішанка, досить приємне для ока поєднання: пшеничне волосся, теплі карі очі, високі вилиці, шкіра, притрушена дрібною зерню ластовиння, як добре пропечена булочка кмином, — в університетському

66   Ти скінчила своє дослідження.

буфеті, де ви умовилися на ланч, курити заборонено, і Донна, допивши з паперового кубка ту гарячу темно-буру рідину, яку американці чомусь називають кавою, тут-таки запихає в рота жуйку: сублімація курива. Це ремигання в неї виглядає цілком симпатично, може, тим, що Донна багато й щиро сміється, і від того враження, наче цілий час розсмаковує щось смішне. Дисертацію вона пише про гендеризм у посткомуністичній політиці: її не на жарт цікавить, чому в тій політиці не було й нема жінок, — запитання, що незмінно заганяє тебе в глухий кут, скільки б тобі його не ставили західні інтелектуали (блін, ну звідки мені знати?). Здається, Донна підозрює, що тут корінь усіх наших проблем: як усі феміністки, вона певна, що men are full of shit[67], іно дай їм волю — починаються війни, концтабори, голод, розруха, відключають гарячу воду й електроенергію, а факультету знов урізають кошти на цей рік, і справа з її докторатом затягується. Отож твою історію Донна бере — не те що до серця, а, здається, відразу собі до течки. Леді й джентльмени, я продовжую.

Що-о?! — рвучко подається наперед Донна, аж її пшеничні патлі, зметнувшись, спадають у глибокий виріз светра.

Як?! — обурюється Донна, — як таке може бути? Як узагалі можна так поводитися з живою жінкою?!

67   Мужчини лайна варті.

О, май! — скрушно хитає головою Донна, з цілком непритаманною їй господарністю розгладжуючи долонями по стільниці невидиму скатертину: жест, що видає цілковиту розгубленість, брак коментарів. Ні, вона також мала проблеми з своїм останнім бойфрендом, але щоб таке!..

Слухай, — каже Донна, й обличчя їй випогоджується спокоєм знайденого рішення: looks like the guy is severely sick, don't you think so?[68]

Короткий курс психоаналізу, шлях до душевного здоров'я: знайти причину, і проблема знеметься сама собою. Чому досі нікому не спало на думку, що те саме можна б пророблляти й з народами: пропсихоаналізував гарненько цілу національну історію — і попустить, як рукою зніме. Література як форма національної терапії. А що, not a bad idea[69]. Шкода, що в нас, власне, нема літератури.

Я тільки одного не розумію, — осудливо каже Донна: тут уже явно зачеплено підвалини її світогляду. — Я не розумію, чому ти це все терпіла? I mean, в ліжкові? Чому відразу не сказала: ні?

Концептуальний підхід: боротьба жінок за свої права.

Що я можу тобі на це відповісти, Донцю? Що нас ростили мужики, обйобані як-тільки-можна з усіх кінців, що потім такі самі мужики

68 Тобі не здається, що хлоп просто серйозно хворий?

69 Непогана думка.

нас трахали, і що в обох випадках вони робили з нами те, що інші, *чужі* мужики зробили з ними? І що ми приймали й любили їх такими, як вони є, бо не прийняти їх — означало б стати по стороні тих, чужих? Що єдиний наш вибір, отже, був і залишається — межи жертвою і катом: між небуттям і буттям-яке-вбиває?

Вкинувши до сміттєзбірні послідки ланчу — пластикові таці із зужитим паперовим начинням, кубками й тарілками в яскравих соусних плямах — соя, кетчуп, гірчиця, сливовий джем (цинобра, кармін, вохра, умбра), — як декоративні палітри з театрального реквізиту (місце першої дії — майстерня художника, місце другої дії — квартира в student dorm[70], третю дію скасовано з технічних причин, квитки не повертаються, молитви не вислуховуються), — вони прошкують до виходу, Донна штовхає скляні двері, короткий спалах морозного повітря радісно засліплює легені, котяться авта, проходять, сміючись, хлоп'яки в спортивних куртках з емблемою університету, горить угорі тривожне, електрично-синє небо, і високий, схожий на обкутаного коцом Леонардо да Вінчі, в розмаяних сивих космах жебрак на розі простягає до них пластикову чашку з-під кока-коли, побрязкуючи дріб'язком:

70   Студентському гуртожитку.

«Help homeless, ma'am!» — «I'm homeless myself»[71], хитає вона головою: не до нього — в простір.

— А знаєш,— каже раптом Донна, повертаючись до неї, натягаючи автомобільні рукавички й весело жуючи якусь нову думку,— все-таки ці ваші східноєвропейські мужчини, вони, правда, бувають брутальні, але в них бодай пристрасть є, а в наших що?..

...І дивитимешся в ілюмінатор, як повзтимуть валізки по стрічці вантажного конвеєра, аби зникнути в череві літака, одна по одній, і от уже — пливучий пустий проміжок, і негр-вантажник у форменій кепці з написом «USAir» вскочить у чорне нутро фургончика, і той рушить з місця, а поки ти проводитимеш його поглядом, конвеєр приберуть, натомість на сірому бетоні темнітиме проталина підсихаючої калюжі: «Все»,— відлунить тобі в голові, як зойк у порожньому храмі, все — це значить, задраєно люки, зараз озветься сухий тріск мікрофона, «Леді й джентльмени»,— замуркоче стюардеса, і літак задвигтить, прогріваючи мотори, і то вже буде інша дійсність, інше життя, а гірко скімлячий біль несправджености дотеперішнього (qu'as tu fait,

---

71 Поможіть бездомним, мем! — Я сама бездомна.

qu'as tu fait de ta vie?[72] — допитується голос звідкись здалеку, — ах облиште, цій темі стільки ж літ, скільки людству: все чогось чекаєш, мрієш і борсаєшся, сподіваючись на щось попереду, а тоді одного дня виявляється, що то й було життя) — ліпше б тому болеві заткатись і не висовуватися більше.

Дайте мені мікрофона, і я скажу: леді й джентльмени, ми створили пречудовий світ, і прийміть, будь ласка, з цієї нагоди вітання од «USAir», і од Сі-Ен-Ен, і од Сі-Ай-Ей, і уругвайської наркомафії, і румунської секурітате, і од ЦК Компартії Китаю, і од мільйонів убивць по всіх тюрмах світу, і десятків мільйонів, що ходять на волі, і од п'яти тисяч зачатих ґвалтом сараєвських байстрят, що коли-небудь же повиростають, і — зростай, пречудовий світе, от, власне, і все, що я хотіла сказати, дякую за увагу, леді й джентльмени, приємного вам польоту.

В юності я мріяла про таку смерть: авіакатастрофа над Атлантикою, літак, що розчиняється в небі й морі, — ні могили, ні сліда. Тепер я всім серцем бажаю цьому літаку щасливого приземлення: мені подобається дивитись на високого, жилавого старого з горбатим носом і глибоко вритими від очей вділ борознами, як він запихає в багажний відсік нейлонову торбу з намальованою на пузі тенісною ракеткою, і на іспанисту брюнетку

72 Що, що зробив ти з своїм життям? (Франц.)

в розхристаному шкіряному пальті — вона з двома малюками, і, поки, відчепивши від наплічника, примощує в кріслі меншеньке, друге — дівчинка років п'яти, вузеньке смагляве личко в бароковій рамі обіцяюче-примхливих кучерів, — розганяється навсібіч серед проходу засвіченими захватом оченятами й зубками — перша подорож! — і зупиняється на мені:

— Хай! — щасливо випалює вона.

— Хай! — кажу я.

Пітсбурґ,
вересень — грудень
1994 року

Забужко, Оксана

312 Польові дослідження з українського сексу: Роман. —К.: КОМОРА, 2024. — 192 с.

ISBN 978–617–7286–49–2

Перший сучасний роман незалежної України, який здобувся на комерційний успіх і звання національного бестселлера, залишається знаним і популярним уже в другого покоління читачів багатьох країн. Драматична любовна історія двох українських інтелектуалів буремних 1990-х з плином часу не втрачає актуальности, змінюючи свої смислові акценти й відтінки, але незмінно захоплюючи шанувальників психологічною глибиною характерів і новаторством стилю.

УДК 821.161.2–311

Літературно-художнє видання

Оксана Забужко

ПОЛЬОВІ ДОСЛІДЖЕННЯ
З УКРАЇНСЬКОГО СЕКСУ

Р О М А Н

Видання сімнадцяте

Випускова редакторка *Алла Костовська*
Обкладинка *Ростислава Лужецького*
Верстка *Михайла Федишака*
Коректорка *Дарина Важинська*

ТОВ «Видавничий дім „КОМОРА"»
вулиця Кудряшова, 3, офіс 133, Київ, 03035
www.komorabooks.com +38 067 47 38 147
komora.books@gmail.com
Свідоцтво ДК 4588 від 31.07.2013

Формат 84×108 1/32. Друк офсетний.
Папір книжковий полегшений.
Обл-вид. арк. 10,00. Ум. друк. арк. 10,08.
Наклад 5000 прим. Гарнітура Blacker Pro. Зам. № ЗК-008 113

Надруковано АТ «Харківська книжкова фабрика „Глобус"»
вул. Різдвяна, 11, м. Харків, 61011
www.globus-book.com
Свідоцтво ДК 7032 від 27.12.2019